Un hombre cerca

Un hombre cerca

Silvia Molina

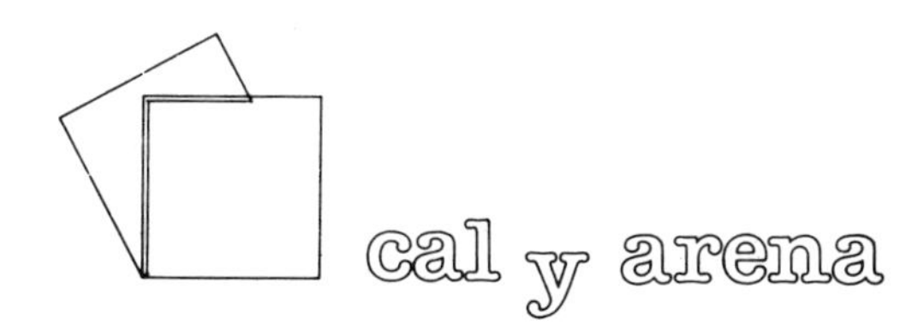

Primera edición: *Cal y arena*, septiembre de 1992.
Segunda edición: *Cal y arena*, enero de 1993.
Tercera edición: *Cal y arena*, septiembre de 1993.

Diseño de la maqueta: *José González Veites.*
Portada: *Rodrigo García Abreu* .
Ilustración: *Édouard Manet*, fragmento de *La Lectura*, 1868.
Fotografía: *León Rafael.*

Mazatlán 199, Col. Condesa. Delegación Cuauhtémoc
06140 México, D.F.

ISBN: 968-493-239-1

IMPRESO EN MEXICO

Para Claudio

Domingo

Para Hernán Lara Zavala

El aire de la madrugada mueve las cortinas del cuarto y se cuela, fresco, por la rendija de la ventana hasta la cama. Está oscuro todavía, pero comienza a amanecer porque escucho los primeros trinos de los pájaros en los laureles de la India que están en la plaza, frente al hotel; no sé cómo se llaman: unos les dicen tordos; otros, cuervos; otros más, zanates; y no falta quién, urracas. Los llamo pájaros. Los pájaros negroazulosos de los laureles de la India despiertan como si nada. No tienen frío aunque deben estar hambrientos.

He dormido toda la noche; pero el cansancio que arrastro es tan hondo que en lugar de cerrar la ventana, prefiero subir los cobertores hasta el cuello. Extiendo una mano buscando a Alfonso, pero siento las sábanas heladas. Se habrá levantado a caminar por el malecón, porque no oigo ruido en el baño. Lo he venido observando, cada vez necesita menos sueño.

Tengo frío y quisiera volver a dormir. Jalo hacia mí la almohada de Alfonso y descubro en ella todavía el olor inconfundible de su pelo, de su cuerpo grande y delgado. Pienso en él. Me lo he aprendido de memoria; sobre todo, prefiero las manos y las arrugas de la cara donde descubro su carácter, su personalidad, la experiencia que ha tomado de la vida. Lo imagino jugándome todavía, envolviéndome con los brazos y las piernas para entibiar, para calentar mi cuerpo.

Invento otra vez que Alfonso ha salido a caminar por el malecón y siento miedo. No me gusta estar sola en un cuarto que no conozco, en una ciudad que no es la mía. No me gusta estar sola cuando estoy con él, aunque no esté con él precisamente: saberlo cerca me reconforta.

Los trinos de los pájaros revolotean en la plaza; quizá Alfonso se ha sentado en una banca del malecón a ver en el mar cómo amanece. Tal vez ha bajado discretamente a hacer una llamada telefónica.

No tenía miedo a la soledad. Nunca creí en los fantasmas y conocía bien los ruidos nocturnos: el chirriar de las puertas, los ladridos de los perros callejeros, los huecos de aire en las tuberías, el silbido de la chimenea de la fábrica; pero después de mi separación de Rubén algo cambió. Me sentía insegura en el departamento, e intranquila al llegar por la noche del trabajo, al grado de que dejaba prendida una luz desde la mañana para no enfrentarme a la oscuridad, cuando las sombras y el silencio angustian. Por eso, apenas entraba, prendía el radio o el tocadiscos o la televisión, y para sentirme segura puse una chapa extra en la puerta de la entrada y un pequeño mirador por donde espiaba cuando alguien hacía sonar el timbre. Pero a todo se acostumbra uno. El miedo fue pasando. No sé por qué lo consiento ahora. Tal vez tenga miedo de que se acabe este domingo o de que pase demasiado rápido. No lo comprendo. No me atrevo a decir que sea miedo de que Alfonso no regrese. Sé que me quiere; estoy segura aunque lo haya encontrado tarde.

Los domingos despertaba junto a Rubén como si hubiera dormido plácidamente al lado de un hermano. Él se levantaba a comprar el periódico en el puesto de la esquina mientras yo preparaba el desayuno, y luego ambos lo tomábamos sin hablar.

Me gustaría salir a dar una vuelta, le decía dándole un sorbo al jugo de naranja mientras él bebía las páginas de deportes del

Ovaciones y del *Esto*. El futbol era su pasión. Me gustaría salir a dar una vuelta, insistía mientras él veía el partido en la televisión. Me gustaría salir a dar una vuelta, terminaba frustrada mientras él prefería quedarse en el departamento a ver una película en la videocasetera.

Los domingos al lado de Rubén me sentía atrapada en un espacio de tedio. Domingos tranquilos, afirmaba Rubén.

El aire me alcanza de nuevo. Quizás habrá norte en el puerto. Me levanto a cerrar la ventana y miro a través de ella buscando a Alfonso en la plaza, en lo que alcanzo a ver del malecón. No lo encuentro.

Ha amanecido, no debe tardar. Me miro en el espejo y cepillo mi pelo: me descubro una cana y me siento orgullosa de ir acumulando un pequeño mechón blanco sobre la frente: ya no pareceré mucho más joven al lado de Alfonso.

Me alegro de que él no me haya visto despertar. Reflejo en el rostro las huellas del sueño. Voy a lavarme la cara con agua fría, a quitarme la palidez y regreso a la cama; es temprano para levantarse.

Recuerdo cuando mi madre me despertaba los domingos para que tomara un baño y después de vestirme y sujetar la cola de caballo, ella y mi padre me llevaban a misa en la iglesia de San Francisco. Luego íbamos a desayunar al Café París o al Café Tacuba, que mi padre escogía siempre, porque allí lo acostumbró el suyo. Esos domingos eran de café con leche; la única ocasión en que me dejaban pedir café con leche y sopear en él un pan de dulce. Paseábamos por la Alameda como si fuera el parque de San Diego en la ciudad de mi madre. Me compraban un globo o un algodón de azúcar que deshacía en la boca mientras ellos caminaban tomados de la mano. Creo que entonces éramos felices. El tiempo corría sin prisa: se nos hacía tarde y teníamos que tomar un taxi que nos llevaba a la casa de los abuelos en el pueblo de Tlalpan. Me trepaba a las higueras a cortar higos verdes que mi madre preparaba en dulce. El abuelo me enseñaba los colores y el nombre de las plantas que cultivaba en el huerto atrás de la casa:

—Clavel, rojo; agapando, azul; margarita, amarilla —iba nombrando las flores.

Y después, mientras el abuelo y mi padre hablaban, y mi mamá y la abuela tejían, yo jugaba con los niños de la calle. A veces también recorríamos Xochimilco con los parientes que venían de fuera. Comíamos en las chinampas, y luego andábamos por los puestos del mercado. Alguna mañana llegábamos hasta la Villa de Guadalupe por insistencia de mi mamá.

Otros domingos, despertaba temprano porque mis compañeros de la universidad pasarían por mí para ir de día de campo por los pueblos de Morelos y los del Estado de México, donde visitábamos las iglesias y los monumentos coloniales y dábamos una vuelta por los parques. Comíamos en algún valle y regresábamos a la ciudad entrada la noche, exhaustos.

No sé qué haga Alfonso los domingos. Tal vez se levante temprano a prepararse un café y luego lea el periódico. Tal vez se levante y le pida a la sirvienta el desayuno, o despierte cuando su mujer lo ha servido. Quizá después se encierre en su estudio a trabajar en la investigación que está haciendo sobre el uso del agua en el Valle de México, hasta que llegan sus hijos: comida familiar. Podría ir al mercado de Santa Rosa, que le queda tan cerca, a comprar fruta que tanto le gusta o mariscos para la comida; pero bien podría salir con su familia a comer a un restorán de buenos vinos. No imagino cómo le llegará la tarde ni cómo le entrará la noche de los domingos. No le pregunto muchas cosas porque le pertenecen sólo a él y a su familia y quizá saberlas me lastimaría, me haría tener conciencia de algo específico que no comparto con él, cuando hay tantas otras cosas que disfrutamos juntos.

Los domingos no pienso en Alfonso para no extrañarlo; y para no tenerlo en la mente, me invento quehaceres y distracciones: arreglo las plantas del departamento y mientras les doy de beber a las violetas represento al abuelo riéndose de mí:

—Violetas, rosas; violetas, blancas; violetas, azules.

El domingo pongo en orden el clóset y hago la compra de la despensa para la semana. Voy con mis amigas a comer y después al cine o al teatro. A veces salgo de la ciudad el fin de semana: no falta quien tenga casa en Tepoztlán; en Cuautla; en Atlihuayán. Los domingos fuera de la ciudad descanso, leo, tomo el sol y olvido el mundo. Me tengo prohibido recordar a Alfonso.

No puedo volver a dormir. No entiendo qué hace Alfonso que no viene. Tal vez tuvo hambre y decidió bajar a desayunar. Me levanto y camino por el cuarto esperándolo. Enciendo el radio-despertador. No pongo mucha atención a la música: sólo es una compañera. Me miro en el espejo y decido bañarme. Cómo me hubiera gustado que Alfonso pasara el jabón por mi espalda.

Del radio proviene la voz de Ella Fitzgerald, es inconfundible. Salgo de la regadera y me visto.

—Es domingo —digo—, prohibido pensar en Alfonso. Ya llegará.

Desde la ventana del cuarto observo el puerto. Ha salido el sol y el clima se templó. La plaza comienza a vivir, a llenarse de gente, de vendedores, de parejas que caminan de la mano, de madres que apresuran a los hijos recién bañados y limpios rumbo a la iglesia de San Andrés. El mar revienta en la playa. No veo a Alfonso.

Termino de peinarme cuando oigo que se abre la puerta.

—Buenos días —me saluda Alfonso.

No le pregunto dónde ha ido. Tiene derecho a su intimidad. Del radio se desprende la voz de Ella Fitzgerald que canta:

"It's so nice to have a man around the house..."

—Es domingo —le digo abrazándolo y canto alegre junto con la voz que repite:

"It's so nice to have a man around the house..."

Sé que este domingo es, de veras, domingo.

Alfonso sonríe, trae una flor.

—Rosa, roja —le digo y le doy un beso a la mano que me la entrega.

Nightmare

(La noche de Mara)

Para Silvana Cervera

No me llaméis por mi nombre sino
llamadme Mara porque en grande
amargura me ha puesto el Señor.
Ruth 1, 20

I

La terraza del bar da al jardín iluminado y la noche es fresca. Desde donde estoy puedo ver los pirules y los ahuehuetes, inmensos, proyectar su sombra en la alberca, igual que la proyectan los errores del pasado en mi conciencia.

Va a llover; lo sé porque el aire que nos llega es húmedo. Quisiera poder levantarme del asiento y subir al cuarto. Necesito estar sola, llorar. Desahogarme. Me gustaría discurrir sobre lo que sucede; o ser otra, una mujer capaz de traicionarse a sí misma, capaz de hacer una escena de celos aunque todo el mundo se sorprendiera, empezando por Rafael.

Me veo levantarme de la mesa bruscamente. El equipal donde estaba sentada se cae. Sin decir una palabra lanzo mi tequila al rostro de Ella; y el cantante que está cerca de nosotros se vuelve a mirarme, sube la voz y hace más intensos los acordes en la guitarra:

En tu boca de fresa
quiero besarte
con un beso infinito
que te estremezca...

Pero no tengo fuerzas para hacerlo. No sé hacerlo. En cambio, estoy aquí, hecha un alfiletero, sin saber dónde me duele más lo que sucede; aparentando que no pasa nada, escuchando sin remedio al señor que está junto a mí:

—Nos vinimos a vivir a San Miguel por el *smog* de la ciudad de México...

Bebo el tequila de prisa; tal vez así me atreva:

—No me interesa su vida ni la de su pareja ni la de sus amigos: lárguense, lárguense de aquí.

Sin embargo, soy apenas sutilmente ruda:

—Yo sólo vine a apoyarlo, a escuchar su conferencia. Creí que después iba a estar sola con él (señalo a mi marido). Esperaba caminar un poco por las calles de San Miguel en el fresco de la noche.

Y abundo:

—No por la del Correo ni por la de Santo Domingo, pues no se trataba de un paseo histórico; no quería mostrarle la Casa Loja ni la de Petra de Santo y Jáuregui ni la del Marqués de Jaral de Berrio; tampoco la iglesia de Santo Domingo.

Y pienso:

"Había imaginado una caminata sin rumbo, tomados de la mano, sin ver nada en especial y todo, mientras Rafael me contaba con lujo de detalles su último viaje a Washington con el Secretario Solana; viaje que siempre me hace reír."

—Esperaba gozar esto —continúo y señalo el jardín—. Un fin de semana nos hacía falta; lo habíamos planeado desde hacía... meses —termino subiendo la voz y viendo con energía a Rafael pero no me escucha, está metido en su coqueteo con Ella.

Coquetea aunque después lo niegue. Y no la invitó por ingenuidad, aunque después lo argumente. Y sabe que es una destructora y una... aunque después se arrepienta. Y no le doy más importancia que la que él le dio trayéndola aquí.

Eso es lo que no entiendo. ¿Qué hace Mara aquí? ¿No le pareció suficiente con presentarse en la conferencia? ¿Cómo vinieron a dar estas dos parejas a mi mesa la noche que había apartado para jugar con Rafael a la pareja que se escapa de la rutina para tratar de reencontrarse? Y sobre todo, tenía que ser Ella, la quinta que hace de la regla una excepción.

Cuando estábamos en el coctel de la conferencia llegó. Yo hablaba con una amiga a la que hacía años había perdido la pista y que vive aquí también, y está sentada en el otro extremo de la mesa con su marido. Mara se acercó a saludarla y de golpe me reconoció. Supe que era Ella porque se había venido a vivir a San Miguel aunque viajara con frecuencia a la ciudad de México. Nunca pensé que se atreviera a ir a buscarlo (o a conocerme). Se asustó, la descubrí nerviosa, y me di cuenta de mi estupidez. Yo no habría ido a buscar a un "amigo" delante de su mujer. ¿A qué fue? ¿Qué hace aquí? ¿Sabe que soy incapaz de un escándalo? ¿Vino a retarme, a burlarse, a enamorar a Rafael, a reconquistarlo?

—Soy...

No la dejé. Me volví hacia mi amiga y retomé de inmediato la conversación.

Poco después Rafael me disparó el primer tiro:

—¿Ya saludaste a Mara?

¿No debió haber dicho...?:

—Mara, ¿ya saludaste a mi mujer?

—¿Por qué no van a la Hacienda de las Flores a tomar una copa? —debió haberlos invitado Rafael mientras yo lo hacía aguantando las preguntas de los reporteros sobre las condiciones políticas del país para las elecciones del noventa y uno. Los periodistas siempre buscan el conflicto.

Si lo hubiera oído... La mancha que oscurece mi conciencia no me deja digerir lo que pasa. No encuentro un solo motivo que justifique a Rafael. ¿Qué quiso demostrarme con esto? ¿Que de veras Ella no le importa o, por el contrario, que mida yo con qué facilidad puedo perderlo?

Estoy sorprendida de Mara, no la imaginaba así, y eso me duele aunque no sé si debía alegrarme. Para ser la encarnación del demonio femenino que bebe la sangre de los hombres en la noche, la esperaba de apariencia malignamente virginal; y es atractiva, sí; pero corriente. De estatura regular, delgada, viste de negro, y calza sandalias también negras de tacón grueso. La esperaba inteligente, agradable, simpática, y es nada más lo que sabía de ella: una mierda de pelo negro y ojos claros.

¿Cómo debía yo reaccionar frente a la mujer que ha salido con mi marido? Y que de ser perspicaz no habría venido a lanzarme a la alberca: estoy en el fondo de esa agua sombría, ahogándome.

Quizá para vivir debía preguntarle a Mara cómo actuar cuando está frente a ti la mujer que persigue a tu pareja, o que está intrigada por el alejamiento de que la ha hecho objeto tu compañero y ha venido a ver si lo reconquista Debe tener experiencia, no soy la primera a quien hace esto.

Pero esas cosas se callan frente a los demás, dan vergüenza, afrentan.

No soy su víctima, vuelvo a decirme, sino la víctima de mí misma, de mi manera de ser.

¿Si yo tuviera una aventura, tendría que contársela a mi marido? No podría lastimarlo. Además, siempre creí que sería indecible el placer de guardar para uno mismo algo propio, secreto, íntimo.

La presencia de Mara aquí rompió la fantasía de Rafael, vino a dar al traste con su intimidad, de la cual yo sólo tenía una parte y respetaba la otra; lo juro. Si Mara hubiera querido reconquistarlo, no era ésta la mejor forma.

¿Qué me lastima? No ser capaz de lanzarle el tequila a la cara; que Rafael no se dé cuenta cómo me está haciendo sufrir; pensar que los que están en la mesa supieran la relación de ambos y sientan lástima por mí; que Rafael haya demostrado con esto que no me conoce, que no entiende ni le importa mi susceptibilidad ni es lo sensible que yo suponía; que no comprendió la libertad que le di para llevar una vida propia que no echara a perder la nuestra; que Mara no tenga estilo, que sea cínica, perversa, y haga uso de su poder de destrucción con nosotros, aunque en apariencia hablen de cosas banales: de la gente que trabajaba con ellos, de los problemas que vivían en la Secretaría.

Hay un segundo idioma entre las mujeres que, al menos yo, entiendo:

—Todos tus grados académicos, tus conocimientos del arte civil y religioso del México colonial, tu argolla de matrimonio, tu hijo, no te sirven conmigo. Rafael está aquí, míralo.

Acerco llena de rabia mi silla a Rafael y él hace lo mismo con la suya: la acerca más a Mara.

Ahora sí me creo capaz de una escena:

—Qué bien. Mi marido prefiere a una puta.

Me levanto.

—No olvides darle dinero para unas botas y un vestido nuevos, es lo que acostumbra pedir —digo con una sonrisa complaciente.

Rafael me mira sorprendido. Mara se queda impávida y sonríe con desfachatez, retándome.

En vez de mi tonta ocurrencia, lo que hago es pedirle otro tequila al mesero.

II

Supe de Mara por el mismísimo Rafael. La conoció en la Secretaría de Relaciones Exteriores durante una conferencia. Las conferencias son propicias para ellos, por lo que veo. Y como suele suceder, el trabajo de ambos estaba, de alguna manera, relacionado. Era ella, Mara, quien hacía la revista interna de la Secretaría.

—¿Mara? ¿La diosa de la muerte que atrapa el alma del cazador en un espejo y causa su muerte? —jugué.

Rafael me vio con extrañeza.

—Leyenda gitana. Cuídate de ella —reí con inocencia.

Siempre he sabido un montón de cosas inútiles para la vida práctica.

Comenzaron a verse en el trabajo y luego salieron a comer con el pretexto de revisar un artículo de él sobre las negociaciones bilaterales entre México y Estados Unidos en relación al narcotráfico que se interna por Centroamérica a ambos países. Un artículo que iba a aparecer en la revista.

Los vio Beatriz, mi amiga Beatriz:

—Es madre soltera: tiene dos hijos, y mucho pegue. Es de las que no se tientan el corazón y cuando se mete con uno, no descansa hasta conseguirlo: desbarató el matrimonio de Eduardo Sánchez, el de Arturo Báez y el de Juan Salgado. Saca dinero. Es una mierda de pelo negro y ojos claros.

No dije nada. Tal vez por una vanidosa seguridad en Rafael. Nada tenía que decir de una amiga de él a quien no conocía; siempre respeté sus amistades de la misma forma que él, las mías. Además, no sospeché que hubiera allí la simiente de este desastre, hasta mucho después, una mañana que fueron a desayunar, y él la trajo a la casa.

Era un Día de Muertos, aunque la metáfora parezca forzada. Mara, la diosa que trae la muerte a los hindús, llegó a mi casa con unas calaveras de dulce que había comprado en el Mercado de Mixcoac, para mi hijo y para mí. La muerte envuelta en el caramelo de su seducción.

Rafael subió a mi estudio.

—¿No bajas a conocer a Mara?

—¿Mara, la muerte, el demonio seductor, la diosa del deseo que tentó a Buda para que abandonara su meditación antes de que terminara el verdadero conocimiento del Nirvana? —bromeé poniendo hacia la luz una de las transparencias que estaba ordenando para mi clase sobre el barroco de Santa Prisca en Taxco.

Rafael se molestó. Y con razón. Yo decía las cosas por decirlas, sin verdadera intención. Ese tipo de reacciones tiene el inconsciente. Pero creo que había intuido algo; a lo mejor fue por el disco de Gershwin que puso Rafael al entrar en la casa.

¿Buscaba que aprobara a su amiga? Era su amiga, no la mía. O quizá estaba tratando de ahuyentar los demonios de la tentación integrándola a su vida familiar y lo orillé a verla fuera de casa. No lo sé. Cuánto pago con esto.

Yo había vaciado la rueda de las transparencias para darles un orden distinto y centrarme en los retablos churriguerescos, cuando Rafael prendió la tornamesa con el volumen muy alto. Llegó hasta mi estudio la *Rapsodia en azul*. Pocas veces lo hace: cuando está eufórico, contento. Debí haberlo imaginado: el amor, incluso cuando significa la ruina, renueva la sensibilidad; pone la vida al alcance de las manos.

No bajé, por supuesto.

III

Durante los meses siguientes observé a Rafael arreglarse: está enamorado, sospechaba.

Merecía estar enamorado después de doce años de matrimonio; sobre todo, cuando yo había olvidado decirle cuánto lo admiraba, elogiar su sonrisa, insistirle que era el hombre más potente y atractivo del mundo, el más sagaz y talentoso; y, por lo contrario, sólo me dedicaba a pedirle que cuidara su dieta, que hiciera ejercicio para bajar la panza, que no metiera a los perros en la casa, que no echara su toalla al suelo, que no dejara su hilo dental en el lavamanos y sus colillas en el buró, que manejara con menos agresividad.

Rafael estaba contento y tenía energías para sobrellevar los problemas domésticos.

Pero como también suele suceder, él tuvo necesidad de decírmelo. Un domingo por la mañana, cuando estábamos en el jardín de la casa tomando café y leyendo el periódico, me confesó que estaba "entusiasmado" con Mara. Entusiasmado.

No podría decir qué esperaba Rafael, pero mi reacción lo descontroló. Le dije, de verdad, que lo entendía. Y lejos de hacer un drama, lo convencí de que era una necedad que me lo contara a no ser que fuera serio y quisiera separarse de mí. Lo comprendí, porque eso me estaba faltando: alguien que me hiciera sentir renovada, distinta, vital.

—¿Quieres dejarme? —le pregunté curiosa.

—Eres más inteligente de lo que suponía.

Me dio un beso y siguió metido en *La Jornada.*

Mientras Rafael leía la "Plaza Pública", yo reflexioné: "Nada lo obliga a estar conmigo, de la misma manera que nada me retiene a fuerza a su lado".

Nunca hubo entre nosotros ese sentimiento de posesión: la libertad que nos habíamos dado nos unía más de lo que podía separarnos; y habíamos hechos muchas cosas juntos más allá de una casa y un hijo.

Si entonces no me dolió la presencia de Mara, fue una equivocación grave de mi parte; quizá me sentía más segura de él o más libre de mí misma. No sé; porque a pesar de nuestra crisis fundada en el aburrimiento de la vida doméstica, nuestra sexualidad era plena (*Whatever it means*, como dice mi amiga Beatriz). El sexo es un misterio, pero creo que nos divertíamos, que nos entregábamos sin reserva. Nunca necesité leer *The Joy of Sex*, ni he tenido inhibiciones para gozar en la cama; incluso me operé después del nacimiento de Armando, porque no deseábamos más familia y sí en cambio disfrutar intensamente nuestra intimidad. Pero ahora, en este preciso momento, si pudiera, le preguntaría delante de Ella:

—¿Estás satisfecho de mi sexualidad o prefieres la de Mara?

Porque pensar que mi erotismo era colmado, tal vez no significa que el de Rafael lo fuera; no puedo asegurar nada esta noche.

Yo misma no entiendo por qué no le di importancia a la relación de Rafael y esta imbécil que está feliz de la vida destrozándome.

El hombre necesita estar enamorado para encontrarle sentido a la vida. Tal vez mi error fue creer en ese momento que si se me hubiera presentado la misma oportunidad, la habría tomado. Pensaba que su relación con Mara era más bien platónica: una amistad bonita, envuelta en el papel de la imposibilidad, de la fantasía.

Soy demasiado idealista, introspectiva. Creo en el orden y

la tranquilidad y siempre he luchado por ellos. Yo no me sentía capaz de introducir el caos en mi vida. Soñar con un amante no me daba miedo, mientras fuera un sueño. Me había refugiado en mi trabajo, y sólo propuesto dedicar todo mi tiempo a producir ensayos sobre el arte mexicano pues me habían valido ya varios congresos fuera del país; y, dentro, comenzaban a reconocer mi autoridad. Al lado de Rafael, no me sentía menos.

—¿No te da miedo? —me preguntó Beatriz.

No me daba miedo. Conforme pasaban los meses, había empezado a cambiar, a sentir incómoda la presencia de Rafael. Hacía rato que buscaba un pretexto para separarme de él; es cierto, aunque parezca contradictorio, y de hecho lo es. Si además de todo mi vida sexual hubiera sido un fracaso, lo habría dejado mucho antes.

Rafael apoyaba mi independencia con la sensatez que tuvieron los intelectuales de su generación moldeados por el 68, pero usaba su talento de una manera con la que yo no estaba totalmente de acuerdo: era ultra liberal, simpatizante de la izquierda absoluta; por eso tuvo que salirse de la Secretaría. Y yo deseaba que fuera "El secretario", que no tirara a la basura su maestría en Yale y su doctorado en París. Pero comprendí tarde que estaba desilusionado de la política mexicana.

Le insistí varias veces que por lo menos buscara una embajada para darle a Armando la oportunidad de conocer otro país y aprender otro idioma, y para que nosotros cambiáramos de aire y ampliáramos nuestro mundo. Me moría de ganas de vivir en Washington o en París otra temporada, en lugar de verlo viajar con frecuencia a Nueva York o a Centro y Sudamérica.

No comprendí su carácter, lo reconozco: Rafael no se iba a vender por tan poco. Prefería encerrarse en su despacho a estudiar los problemas políticos internacionales y a tratar de darles una salida afortunada para nuestro país.

Por eso me fui fuera de México. Arreglé una beca en la Embajada de España y volé a Madrid con el pretexto de trabajar el arte novohispano durante dos meses. Guillermo Tovar, mi amigo Guillermo Tovar, me había convencido de la maravilla de los archivos hispanos.

Esperaba de ese viaje que Rafael decidiera dejarme. Sería menos duro para mí decirle que yo quería repensar mi vida, cuando él me había dado tanto. Yo quedaría en el personaje de la ingrata, de la madre desnaturalizada que le roba el hijo a su padre.

Esperaba esa decisión, no porque anduviera seriamente con Mara, que no creo, sino porque necesitábamos un receso. Un descanso. Un espacio propio para renovar nuestros votos. Tal vez, en esas circunstancias, su relación con Mara podía ayudarlo.

—No sé si regresemos contigo —fui clara.

IV

Le pido un cigarro a Rafael echando llamas por los ojos; solícito lo extiende y alumbra el encendedor, pero vuelve a su plática ignorando mi provocación.

Me muero por descifrar sus códigos secretos; sentirme orillada, me humilla.

Súbitamente me invade un impulso de jalar el mantel rojo, de tirar las cubas libres y los vodkas, de encender con la veladora el vestido negro de Mara; y lo que hago es pedir otro tequila.

—Doble —enfatizo al mesero, y ruego cortésmente—: Dígale al cantante que si sabe (y canto):

Ya me canso de llorar
y no amanece...

Rafael se vuelve hacia mí:

—Te vas a emborrachar.

Ahora soy yo la que lo ignora aunque debía decirle:

—¿Hay algo más interesante qué hacer?

El señor a mi derecha me está contando que se llama Pedro y es esposo de la Lourdes que está junto a él. Me dice que tienen una platería en San Miguel que funciona de maravilla por el turismo americano.

La otra pareja que ocupa el extremo contrario al mío, mi amiga Carla a la que le había perdido la pista y su esposo, también tiene "un negocio" sólo que de artesanías. Ellos venden sarapes, rebozos, petates, objetos de papel maché, bronce, cerámica y peltre. Todos son amigos de Mara. Mara, me cuenta Pedro, da clases de redacción en el Instituto Allende y hace el boletín de Banamex...

—... que por cierto ocupa la Casa Gil "que es del siglo XVIII" —termina engolando la voz.

Lo detesto.

—¿No es cierto, del siglo XVIII? —me pregunta y no celebro su chiste.

Mara les avisó de la conferencia y les pareció "distinto" pasar una noche de viernes así.

La palabra "distinto" hace eco en mí. Sí. Soy distinta. Debería ser una mujer de mundo y brindar por la presencia de Mara en mi vida y en esta mesa. Una presencia palpable, con el rostro amargo de Marah, la mujer vacía de los semitas.

Rafael está a mi izquierda y Mara, el demonio femenino destructor de los eslavos, bebe el espíritu de mi hombre esta noche. Mara junto a él, quien me da un poco la espalda para dejarse robar mejor. Tengo que aceptarlo.

Me vuelvo a observar a Mara. Se cruza nuestra mirada y ella no la evade.

Es capaz de verme de frente, de sostener la vista retándome. Si está igual de asustada que yo, no se le nota.

Me sigue sorprendiendo el gusto de Rafael. Para soltar el segundo disparo a un matrimonio de tantos años, es raro que eligiera a una mujer como ésta. ¿Podría haberla lucido en los cocteles de la Secretaría? ¿De qué hubiera hablado Mara con los diplomáticos y la gente del Servicio Exterior?

Tal vez la menosprecio, y en las reuniones del PRD o en los mítines políticos no hiciera mal papel, aunque su presencia aquí no habla, precisamente bien, de ella. ¿Qué la hizo venir? ¿No tiene vergüenza? ¿Se pondrían de acuerdo desde antes?

Miro a Rafael. Sigue siendo un hombre atractivo. Alto, de piel bronceada y pelo negro todavía. Tiene unas arrugas hermosas alrededor de los ojos, y unas pestañas muy largas y lacias que chocan siempre contra los cristales de sus lentes. Me enamoré de la transparencia de sus ojos miopes, de su arrogancia. Como estudió Derecho Internacional y su especialidad era Latinoamérica, llevaba los asuntos bilaterales en la Secretaría de Relaciones Exteriores. Es un hombre brillante, con una enorme cultura, pero obstinado, orgulloso. Y hasta donde yo suponía, le gustaban las mujeres elegantes; quiero decir, de trato. Pero ahora veo que no. También tengo que aceptar que no lo conozco bien.

Bebo de prisa. Sólo deseo que no me dé por llorar sino por reírme de mí misma, cuando Pedro me pregunta que si ser "doctora" en historia del arte no es un problema para mi relación con los demás. Desde luego lo estoy siendo para él.

—La historia del arte se queda en mis clases y en mis manuscritos —me río. Es mi vida privada lo que me agobia y me impide relacionarme con ustedes esta noche; y no hablo a los desconocidos de ninguna de las dos cosas.

Me empino lo que queda del tequila satisfecha de arrastrar ya las palabras. Bravo: las digo. Y me vuelvo hacia el cantante. Me aíslo.

Si me alejo de ti
es porque he comprendido...

V

Mientras estaba en España, recibí una carta larga de Rafael. Me recordaba que no teníamos doce años de querernos sino veinte, porque ocho habíamos sido amantes. Yo estaba en la prepa cinco todavía y me preguntaba si alguna de mis compañeras se acostaba con alguien, si era tan mosca muerta como yo que ponía los anticonceptivos en el frasco de las vitaminas. Ocho largos años, llenos de vida independiente y alegre, que terminaron en una unión esperada cuando yo obtuve mi maestría y nos fuimos a París a que él hiciera su doctorado. Nuestro regreso culminó con mi embarazo y el deseo de construir juntos un destino. Rafael no quería deshacer lo que después de todo llevábamos construido. Y antes de terminar, me hablaba de Mara aunque sin nombrarla. Me daba a entender que nada le importaba más que conservar su matrimonio:

> "Me casé contigo no sólo por tu interés en cosas más allá de la casa, la comida y la moda; porque eres terca, rejega, clara. Por tu respeto hacia ti misma y hacia mí. Te quiero. Me hacen mucha falta tú y Armando. Te espero enamorado y loco por verlos".

El verano en Madrid me había sentado. Como hacía un calor insoportable, salía a los alrededores lo más posible y disfrutaba con mi hijo Armando el sol de levante a poniente, mientras reflexionaba sobre mi vida. Un colega de la Biblioteca Nacional me asediaba; es cierto, pero aunque hubiera tenido valor, no estaba preparada para acostarme con alguien distinto a Rafael, con otro. Y pensar que él lo pudiera hacer con Mara, no era una buena excusa para que yo fuera a la cama con un andaluz. Pensaba en mí, en Rafael, en tantas cosas compartidas.

El tiempo que le había dado a Rafael actuó en contra mía: era yo quien no deseaba dejarlo: me había dado cuenta de que en verdad lo quería, de que estaba dispuesta, otra vez, a intentar...

VI

Empieza a llover.

—Me gusta la lluvia —le digo al mesero después de pedirle otro tequila.

—La esperábamos —me cierra el ojo—. ¿Gusta usted otra canción en especial? —murmura atento.

Cómo se lo agradezco. Alguien es humano conmigo esta noche. Me lanzaría a sus brazos para que me consolara. Lo necesito. Me hace falta decirle a alguien lo que me pasa, que me aseguren que es una tontería todo lo que estoy pensando. Necesito saber que hay una fórmula para salir de esta pesadilla.

—*Ya me canso de llorar y no amanece...* —tarareo otra vez, apenas, ahogando las palabras; y Rafael se vuelve hacia mí pero no dice nada.

No me queda sino dejarme envolver por la humedad que nos llega. Tengo perdida la mirada en el jardín; descubro las flores bajo la luz indirecta: parecen margaritas.

Hace rato que no reparo en la conversación de Pedro ni en las canciones del cantante. Ni mucho menos en lo que hablan Mara y Rafael. Sólo me siento triste, rebajada por la actitud de Rafael; pisoteada por mi falta de valor para irme de aquí o hacer una escena.

¿Qué pensarán de mí Pedro y Lourdes y Carla y su marido? Carla dirá que cómo he cambiado, que me he vuelto introvertida, callada, seria, que no me importa su vida aquí. Y no me importa, es la verdad. Quizás esperaba, como yo, algo distinto de esta noche.

El mesero repone mi tequila. Rafael me enciende el cigarro que tomé de la cajetilla puesta sobre la mesa. Y Mara me pregunta tomando un cigarro.

—¿Puedo?

Miro con rencor a los dos. No saben cuánto los odio en este momento. ¿Puedo? Me pide un cigarro cuando ha tomado a mi marido sin el menor escrúpulo. Recuerdo la vez cuando saliendo de mi casa vi a uno de mis vecinos recargado en una patrulla con las manos en alto mientras un policía lo registraba: Me saludó amablemente: "Buenas tardes, señora". Igual de absurdo. ¿Puedo?

Me muero de pensar que Rafael le haya podido regalar a Mara unos atardeceres como los míos o esas noches llenas de recuerdos que me llenaban de él. Después de hacer el amor, Rafael abría las ventanas del cuarto y regresaba a acostarse a mi lado. Abrazados, me contaba de su infancia en Durango, la forma en que coleccionaba alacranes para asustar a las tías, su amor deslumbrado por la maestra de cuarto, cómo perseguía a la sirvienta, sus temores en la casa del abuelo llena de sonidos que ya no existen más que en su recuerdo: la gota del filtro de piedra, la noria, la tos de la abuela, el llanto de la madre por la muerte de su marido. Me duele imaginar que le haya relatado a Mara, de la misma forma que a mí, su viaje a la ciudad de México con quince pesos en la bolsa y una muda de ropa; o que le haya contado cosas que desconozco.

No resisto la posibilidad de que la haya hecho cómplice de su historia o que le haya detallado sus conflictos con el secretario Solana, o sus viajes a Centroamérica... porque lo que traía de ellos no era un programa de trabajo sino el colorido de los sentimientos que nos igualan a los latinoamericanos.

Recuerdo mi llegada de España. La forma en que Rafael abrazó a su hijo y en que me retuvo en sus brazos. No hablamos del pasado. Había quedado atrás, lo dimos por un hecho.

La situación política en el país era complicada y Rafael decidió afiliarse al PRD. Estaba en juntas o en mítines con Cárdenas todo el día, por eso se me hizo fácil aceptar la invitación para ir a la Universidad de Los Ángeles, a hablar de los conventos del siglo XVI en el Estado de México, y más fácil todavía quedarme una semana en California para visitar a unos amigos. A mi regreso, Rafael me esperaba en el aeropuerto en apariencia ansioso de verme. Al día siguiente, me llamó Carlos a mi cubículo de la UNAM, mi amigo Carlos. Directo, sin rodeos ni saludos:

—Vi el viernes a Rafael en un concierto con una...

—...mierda de pelo negro y ojos claros —me adelanté sintiendo que el corazón entraba por la bocina.

Después del concierto habían ido a cenar a La Cacerola de la Avenida Insurgentes, me lo dijo el dueño del restorán que es mi tío. Mi tío Aureliano. ¿Tenía que haberla llevado precisamente allí? ¿Por qué todo el mundo se creía con la "obligación" de ponerme sobre aviso?

No dije nada. Empecé a buscar un departamento y ya que lo encontré hablé con Rafael. Nada negó; incluso, me completó con lujo de detalles esa noche después de la cena; pormenores en los que no quiero ni pensar, que guardo muy dentro de mí, porque me ofenden.

Lo escuché desconcertada decirme que hacía tiempo no la veía, que Mara lo había buscado con insistencia con toda clase de pretextos, y que esa noche, precisamente, había decidido no volver a encontrarla. Dijo que no era la clase de mujer por la cual estaba dispuesto a romper su matrimonio.

Yo supuse que había sido lo contrario, que él la buscó para estar seguro de cuáles eran sus sentimientos hacia ella. Me pidió otra oportunidad y se la di, equivocándome. Quise entender a Mara: enamorarse de Rafael, no es difícil.

Me costó reponerme, pero el trabajo y la actitud de Rafael me ayudaron. Sin embargo, están aquí, bebiendo en mi mesa.

Quisiera entender qué es lo que sucede.

—*Ya me canso de llorar y no amanece...* —me descubro siguiendo al cantante que se vuelve complaciente hacia mí.

La observo: cada movimiento que hace, cada expresión de su rostro, son planeados, desesperadamente planeados para reconquistarlo porque tiene miedo de no ver más satisfecho su deseo por Rafael.

Estoy atrapada en la complejidad de la vida, siento cómo fluye, hirviendo, la sangre por mi cuerpo: un torrente de deseo por él, por ella, por su horrendo batón negro, por su pelo pintado, por su boca ordinaria, su poder de destrucción, su vida terrible.

Creo que voy a volver el estómago y a orinarme. Estoy felizmente borracha. Me pongo de pie trastabillando. Voy a buscar el baño.

Rafael se levanta detrás de mí. Me alcanza en el pasillo. Me toma del brazo y lo sacudo para quitar su mano de él. Me da asco.

—Suéltame.

—¿Adónde vas?

—¿Por qué no te la coges allí mismo delante de todos? Eso es lo que busca —grito fuera de mí.

—¿Qué te pasa?

Me pierdo en el pasillo.

Detenida contra la pared, miro a Rafael regresar a la mesa y vuelvo el estómago.

Me pregunto qué hacer sabiendo que no hay nada que pueda cambiar lo sucedido esta noche. No puedo impedir el proceso de la vida.

El matrimonio es una montaña rusa llena de rectas estables o monótonas y de pendientes y subidas emocionantes y peligrosas. Los sentimientos de los que se suben a ella pueden ser variados, diferentes, divertidos u hostiles; también pueden compararse a un estado de ánimo gozoso, estimulante o irracional, contradictorio, que atraviesa momentos plenos o dichosos o desventurados y tristes. Cuando la emoción desaparece, el juego se vuelve desolado, aburrido. Cuando la emoción es intensa, no es necesario cerrar los ojos e imaginar al abrirlos que ha pasado el miedo a la caída. Los que han elegido ese juego saben que disfrutarán el peligro, si siguen las reglas con precaución. La infidelidad es una cuesta pronunciada que se toma con los brazos en alto sin el cinturón de seguridad, pero que le da al que se distrae la ocasión de ver la vida, aunque sea un segundo, intensamente. Tal vez, si las pendientes se toman con prudencia, haya manera de salvarse, de no salir volando rumbo al precipicio.

Las leyes de la aventura funcionarán para Mara y Rafael: pueden terminar realmente casándose o bien tendrán que separarse lastimados. Sin embargo, después de esta noche, ya no encontrarán la manera de salvar de esa relación la dignidad, la lealtad.

Ya en el baño, echándome agua en la cara, pienso en las miles de cosas que Mara nunca sabrá de la forma en que Rafael se ha conducido por esa montaña rusa. No podrá compartir nuestras referencias familiares, los chistes, las fiestas, las penas: ese sentido de la familia que es como un clóset lleno de ropa vieja que uno se viste para la vida diaria porque tiene sentido.

Medito si Mara vería con agrado el desorden de Rafael, que orine la tapa y el piso del excusado, sus manías, sus depresiones o su violencia cuando las tiene.

De regreso a la mesa vuelvo a pensar en Mara. De las cosas terribles que hay en la vida, la peor para un ser humano debe ser volverse impúdico, procaz, descarado, desvergonzado. Enamorarse no está mal, uno lo necesita; no es un error. Su amor por Rafael pudiera haber sido sincero, pero su desfachatez lo ha vuelto equivocado. Y la manera de buscarlo, la deshonra. Es una lástima que Rafael haya dejado de tener un refugio secreto, tierno, cálido y buscado.

Voy dispuesta a vaciarle a los dos el tequila en la cara.

Encuentro a Rafael solo. Sus amigos se han ido, llevándosela.

—Si no vas por ella, la vas a perder también.

—Estás loca.

—¿No la quieres?

—Por supuesto que no.

—¿Para qué la trajiste?

—Ya se fue a la chingada, ¿no ves?

El mesero se acerca y Rafael pide el menú.

—Vamos a cenar —me dice.

Lo odio, ¿pensar en comer?

—¿Cómo se atrevió a venir?

—Porque no hay nada.
—Salió contigo.
—Es una pendeja, no vale la pena que te pongas así.
Me levanto de la mesa y voy rumbo a la habitación 201 decidida a empacar.
Veo sobre la cama el camisón que compré para esta noche. Recuerdo el tiempo que perdí escogiéndolo para él, para seducirlo, decidiendo entre el color rosa, el azul, el negro, el crudo, entre el corto y el largo.
No puedo llorar cuando acepto que todo está perdido.
Abro las ventanas del cuarto porque necesito un poco de aire.
Las nubes se disiparon y la luna brilla en lo alto. Miro las cadenas montañosas que rodean San Miguel de Allende; abajo está la ciudad con sus calles empinadas y zigzagueantes. Pienso en la primera vez que vine a San Miguel, con un grupo de estudiantes del IFAL: Madame La Rosa, nuestra maestra de historia, fue la primera que me internó en la complejidad de los símbolos que esconden las construcciones del hombre. Observo a lo lejos la catedral neogótica de San Miguel y, por fin, se me salen las lágrimas.
Quizás el adulterio se pueda sobrellevar, tal vez sea fácil olvidar la rudeza de la infidelidad, su amargura, su dolor.
Rafael y yo podríamos continuar el resto de nuestra vida juntos y quizás me arrepentiré más adelante de haber echado por la borda doce años de matrimonio. Pero muchas cosas son imborrables y no desaparecen. Qué rápido se fracturan los sentimientos y los vínculos.
Nunca voy a perdonar a Rafael. Mara debería saberlo para ser feliz. Esta fue su noche; la noche de Mara.

VII

Estoy frente al tocador recogiendo mis cosas cuando entra Rafael en el cuarto. Oigo su voz acercándose a mí, llamándome como si proviniera del fondo de un pozo. Levanto la mirada: no encuentro su figura reflejada en el espejo.

La tormenta

I

Magdalena y Javier escuchaban *Sirenas* de Debussy sin dirigirse la palabra, mientras afuera seguía lloviendo. El agua golpeaba con insistencia el ventanal de la sala, y las llantas de los autos se empeñaban en volar una y otra vez los charcos del pavimento.

Cuando Magdalena miró hacia el periférico, se estremeció. La fila interminable de coches hacía, por contraste, su departamento inhóspito, demasiado estrecho y pequeño para ella. Y como si hubiera sido nada más la sala lo cambiado, no la reconocía: se le había vuelto tan extraña e indiferente como si no fuese ella quien viviera allí sino Javier. La habitación estaba transformada, no era la misma que arregló al mudarse a ese piso, en el Boulevard Adolfo López Mateos, mucho antes de que Javier apareciera en su vida.

Largo rato vio cómo la luz de los coches se descomponía con las gotas de lluvia en una corriente desenfrenada y estruendosa: golpeaba con furia la oscuridad como un mar furioso que reventara las olas contra una playa.

Cuando las luces dejaron de circular, se le pasó el sobresalto. No supo cuánto tiempo estuvo allí, de pie frente al ventanal. El flujo había decrecido. Allá abajo sólo quedaba, en medio de la tormenta, la quietud del periférico como la de un muelle solitario donde deseaba vagar. Lo anheló con pasión, incluso con voluptuosidad: echarse a correr por el muelle, así, descalza como estaba, bajo la lluvia, viendo el mar hasta el cansancio. Pero se sentía inválida, atrapada en ese sentimiento difícil de precisar, en un espacio que no era más el suyo.

—No tengo pies como las sirenas... —dijo regresando a sentarse junto a Javier, dándole la espalda al ventanal como si fuera su propia vida.

Pero Javier seguía bebiendo pensativo y no le puso atención, y si lo hizo, tal vez creyó que se refería al disco que ella misma, Magdalena, había puesto, y no dijo nada.

Magdalena tomó un *Time* de encima de la mesa y se puso a leer sin leer en realidad. Vulnerable como se sentía, tuvo ganas de que Javier dijera que ya era tarde. Tendría que irse aunque hubiera una lluvia torrencial: lo esperaba su mujer. Y Magdalena podría retirarse a su cuarto o allí mismo, en la sala, proyectar la forma de concluir con él. Estaba decidida, ahora sí, en definitiva:

—Javier, has cambiado todo, ¿no te das cuenta?

Pero Javier, tumbado en el sillón, con la cabeza recargada en el respaldo, bebía despacio el brandy, saboréandolo en silencio. No tenía para cuándo decir adiós, te llamo mañana, piensa en mí; nunca: que descanses, que duermas bien. No.

Las *Sirenas* de Debussy, en esa versión antigua de Leopoldo Stokowski y la orquesta de Filadelfia, parecían haberlo seducido, como si cantaran para él.

—¿Por qué si te gusta la música transparente, haces cosas extrañas? —dijo de pronto Javier y luego dio un trago al brandy.

Magdalena no contestó. Antes le había parecido extraordinario lo que ella hacía, y muchas veces le explicó su interés en las posibilidades de la música contemporánea. ¿A quién no le gustaban Bach, Mozart, Haydn? ¿El mismo Debussy que había roto con muchas de las reglas tradicionales? Pero ella prefería intentar con sonidos y formas nuevos; cambiar la armonía era una necesidad, no un atrevimiento; quizás un reflejo de ella misma, de la rebeldía que la caracterizaba. Obstinada en no hacer música tradicional, no le importaba que el gusto por la nueva fuera tan pobre en México. La electroacústica la inquietaba, y soñaba despierta en regresar a Polonia —no se lo había dicho a Javier.

—La música contemporánea es difícil —murmuró él, como si hubiera adivinado la respuesta de Magdalena.

—Como lo que pasa —apuntó ella, pero Javier no quiso oír.

Parecía incómodo consigo mismo. Harto. Un año turbio, confuso, le explicaría a Magdalena cuando le dijera que no quería irse sino vivir con ella, disfrutarla de lleno. Compartir la vida con ella; el trabajo. Completamente. Así como compartían el placer de la música. Quedarse. Eso deseaba, aunque no encontrara la manera de explicarle a su mujer, de dejar a su hijo.

La intranquilidad de Javier había comenzado a traducirse en la forma en que cruzaba y descruzaba las piernas. Dejó el brandy y atrajo a Magdalena hacia él.

Ella dejó el *Time*, colocó la cabeza sobre el pecho de Javier —sintió las palpitaciones aceleradas— y las piernas en el sillón, y lo abrazó sin ganas, cerrando los ojos, descontenta consigo misma.

Magdalena no quería abrazarlo sino verlo irse. ¿Cómo se había enredado otra vez? ¿Qué le impedía terminar en ese preciso momento con él? ¿La compañía? Si estaba sola, si a media noche estaba totalmente sola, si sola desayunaba, comía, iba a la farmacia, al súper, a las reuniones a las que Javier "no podía ir porque se comprometía"; si sola hacía casi todo. Y lo había hecho de mejor humor —hasta con alegría— cuando había estado de verdad sola, sin él.

No quiso pensar más: desmenuzaba los tiempos de la música. Cuando vio la partitura de Debussy en la memoria, empezó a sentir cómo se metamorfoseaba en ese ser ambiguo cuyas piernas, al contacto de la mano de Javier, se iban volviendo viscosas y húmedas. Se estaba atrofiando al grado de no gozar siquiera del sexo: no le gustaba la forma en que Javier la retenía, en que le acariciaba las piernas, el pecho, en que cambiaba su vida.

II

Se conocieron en Aurerrá, un sábado por la mañana, cuando Magdalena tomaba una caja de jabón:

—¿Se puede usar cualquiera en una lavadora automática?

—Es mejor éste —Magdalena señaló el Jabomátic.

—¿Por qué?

—No hace espuma.

—¿Es importante?

—No se echa a perder la máquina.

—Mi esposa está de viaje. No sé cuál comprar. —Hizo una pausa—: Tampoco sé manejar la lavadora.

Magdalena sonrió:

—Pones la ropa dentro y luego el jabón y aprietas el botón que seguro dice *on*, *start* o enciende; la máquina hace el resto —explicó lógica.

—¿Tienes lavadora?

—No. Llevo el jabón para ponerle a la sopa —dijo irónica.

—¿Qué marca? —no esperó la respuesta. Acometió enseguida—: No sé qué marca es la mía.

—Bueno, pues mucho gusto —se despidió Magdalena avanzando el carrito de autoservicio.

—¿De veras, mucho gusto?

Magdalena se incomodó; empujó el carro con prisa. Javier se dedicaba a ligar en Aurerrá, pensó. Sin embargo, antes de dar la vuelta en el pasillo, se volvió hacia él; estaba leyendo las instrucciones del Jabomátic.

Dos meses después coincidieron otra vez en el supermercado: Magdalena acababa de tomar una lata de queso para fundir y él le dijo sobre el hombro:

—Es mejor la holandesa.

Se giro hacia él. No lo reconoció.

—El jabón que me recomendaste no hace espuma pero tampoco quita la mugre —bromeó.

Se le quedó viendo; era un hombre robusto, de mediana estatura, con ojos de árabe: inmensos, negros, vivos. Su tez era aceitunada y el cabello, de tan negro, le brillaba en tonos azules. Se estaba quedando calvo. Debía tener por lo menos treinta y cinco años.

De golpe lo vio tratando de prender la lavadora y dijo:

—A los hombres les deberían de dar un curso antes de casarse. "Qué hacer cuando la mujer esté de viaje", ¿no crees?

—¿Eres casada?

Contestó un no rotundo.

—Exígele a tu novio el curso. Es indispensable.

Nunca imaginó volver a verlo; ni mucho menos, que terminarían así tan... no supo cómo definir su situación. Era estúpida. Sin embargo, una noche coincidieron en un concierto en la Sala Nezahualcóyotl. Magdalena no lo había visto; cuando terminó el concierto, él corrió a alcanzarla.

—No pensé que te gustara la música —dijo Javier.

—Soy compositora —contestó sorprendiéndolo.

—Eres muy joven para ser compositora y para ir sola a un concierto.

Magdalena se ofendió. No supo cómo interpretar el comentario. Se puso seria.

—Tengo 32...

—¿Cómo salió el queso? —preguntó Javier buscando una sonrisa.

—...y vengo a escuchar la música no a fajar.

—¿Bueno?

—Chicloso —se desquitó.

—Pareces de veinte —le cerró un ojo.

—Es una lástima que haya venido tan poca gente —dijo Magdalena despidiéndose.

—No te dije el secreto del vino. La próxima, yo mismo te voy a preparar una *fondue* deliciosa —agregó Javier.

Después le pidió que aceptara la invitación a cenar a un restorán italiano de la Avenida Insurgentes; era muy cerca y... de alguna manera se conocían o compartían algo:

—Aunque sea la música —dijo Javier.

—La música es todo —rebatió Magdalena.

Era tarde. Los dos tenían hambre. Luego la seguiría hasta su casa, ¿no era cierto que vivían en el mismo barrio?

Javier era, sin duda, un hombre presumido, arrogante: el tipo de comensal que los meseros respetan, sobre todo cuando ordenan los vinos. El brillo de sus ojos ocultaba la nariz curva y la boca grande. Tenía dinero —le contó a Magdalena— sin ser millonario. Había heredado de su padre una fábrica de aluminio y trabajaba sin descansar; pero no tenía el menor remordimiento si se gastaba el dinero en viajes, discos, libros o restoranes —y en mujeres, pensó Magdalena—. A Javier le gustaba vivir bien. Disfrutaba dándose esos placeres y otros porque pensaba que la gente que no se permitía ciertas libertades con sus emociones, sentimientos o impulsos era gente limitada e infeliz. Tenía sus propios códigos morales de los cuales se apartaba muy poco.

Javier quería a su mujer —a su modo, se dijo Magdalena mientras lo escuchaba y se imaginó el resto—: estaba acostumbrado a su presencia, a la suavidad con la que se sometía a sus desenfrenos, porque seguramente Javier se dejaba llevar por enamoramientos repentinos que, una vez saciados, lo devolvían tranquilo a casa una temporada. Casi contento.

En el restorán Rafaello, también supo Magdalena que Javier acostumbraba ir a la Sala Nezahualcóyotl con unos amigos que se habían ido cuando él decidió alcanzarla. No acostumbraba ir con su mujer a los conciertos porque ella no disfrutaba la música.

—De hecho —subrayó— no compartimos muchas cosas; la música sólo es una de ellas.

Magdalena no comentó nada. Había aceptado ir a cenar por cenar. Estaba muerta de hambre. Le daba exactamente lo mismo que Javier fuera casado o no. Que amara a su mujer o no. Desde que había terminado con Esteban, la expectativa de un compañero era nula.

No tenía ganas de relacionarse en serio con nadie, no quería volver a equivocarse. Gozaba su soltería aunque hiciera el amor sólo de vez en cuando.

Esa noche tocó la Orquesta Filarmónica de la UNAM, bajo la dirección de Eduardo Mata, además de *Sensemayá* de Silvestre Revueltas, *Discovery* de Carlos Chávez y la *Sinfonía no. 3* del propio Mata. Un programa de música mexicana difícil de reunir.

—¿Qué te pareció? —preguntó Magdalena.

—Mata dirigió con mucha rapidez, como si tuviera mucha prisa —contestó—. *Sensemayá* le quedó grande a la orquesta.

Magdalena se impresionó de que Javier fuera melómano. Un hombre como él, debería gustar más del futbol o del tenis que de la música.

Era raro encontrar a alguien así.

Hablaron del genio de Revueltas y de la música para piano de Carlos Chávez y, con naturalidad, del hijo de Javier: tenía cuatro años y un brazo enyesado por travieso.

Magdalena le contó su participación en el Curso Internacional de Verano organizado por la Sociedad Polaca de Música Contemporánea para jóvenes compositores, donde había tenido la oportunidad de conocer a Penderecki; el fin de la relación con Esteban —la había dejado por una pianista de ascendencia americana—, su trabajo en la Escuela Nacional de Música, sus salidas irregulares con un pintor y un chelista, y su pasión por la música electrónica.

Javier la siguió en su automóvil hasta el Boulevard Adolfo López Mateos. Se despidió en la puerta cortésmente.

No intentó pasar. No preguntó el número del teléfono ni trató de besarla.

Sólo dijo:

—Muchas gracias por hacerme compañía esta noche.

III

Javier le acarició el cabello sedoso, suave. Varias veces le había dicho que le gustaba que no usara fijador —como su esposa, suponía ella—, y que se dejara despeinar sin la menor protesta.

Magdalena sabía que más que su cuerpo redondito y no muy bien hecho o su sonrisa de conejo o sus ojos amielados, había seducido a Javier su habilidad para no hacerse complicada la vida.

Dos o tres veces —le confesó Javier—, la había observado sentada en la fila doceava del primer piso de la Sala Nezahualcóyotl, en el lugar donde la había descubierto la primera vez, acompañada de un hombre maduro, barbón, con aspecto de artista que debía ser el pintor o el chelista —nunca supo quién de los dos era.

Magdalena le daba curiosidad, quería saber más de su vida. ¿Qué representaba para ella aquel hombre? Como si tuviera derecho, sentía una mezcla de celos y coraje; y casi no atendía el concierto por estarla viendo.

Durante la semana —insistía en platicarle— no hacía sino recordarla en el vestido amarillo, en el azul, en el traje café, con el cabello castaño levantado en una especie de chongo despeinado que la hacía más atractiva.

La dejaba ir siguiéndola de lejos. Una noche antes de abrirle la puerta, su acompañante del Golf negro le había dado un beso. ¿Qué había en esa relación?

Y la pensaba —le aseguró más de una vez— sonriendo en Aurerrá, atenta en la Nezahualcóyotl, voraz en el Rafaello...

Y comenzó a desearla. Tenía ganas de hablar con ella. Un poco de música, un poco sobre la película de Marcelo Mastroiani que acaba de ver, un poco sobre la novela de Updike que estaba terminando, pero no sabía cómo acercarse.

La siguió viendo de lejos en la Sala Nezahualcóyotl hasta que fue a buscarla en el intermedio, aprovechando la ausencia momentánea del pintor o del chelista. Se lanzó nervioso:

—¿Es el pintor?

Magdalena no contestó.

—¿Irías conmigo al concierto de Arrau?

Aceptó.

Arrau vendría a México en un mes y él compraría los boletos para Bellas Artes, y le hablaría por teléfono para acordar el lugar de la cita.

Se despidieron.

Al principio de la tercera semana tocó el timbre en el departamento de Magdalena. Llevaba una lata de *fondue* holandesa y una botella de vino alemán.

Magdalena lo invitó a pasar. Trabajaba en una partitura para flauta y sintetizador, y antes de servirle el primer brandy, le enseñó en su pequeño estudio recubierto de corcho, con doble vidrio, cómo utilizaba aquel aparato. Además, tenía un piano de pared que le había regalado su papá cuando entró, a los trece años, al Conservatorio, y sobre él un metrónomo antiguo. Era un estudio pequeño pero ordenado como el resto del departamento.

Mientras Javier preparaba la *fondue*, Magdalena puso en el tocadiscos las *Serenatas de Salzburgo* de Mozart dirigidas por Edvard Fendler: una joya.

Descalza y en shorts, se sentó en un banco de la cocina y no tuvo tiempo de dejar sobre la mesa el vaso de brandy ni tampoco ganas de evadir el beso de Javier: aunque el concierto de Arrau se hubiera cancelado, se moría de ganas de verla.

IV

Todo se le habría ocurrido a Magdalena menos enamorarse de Javier. Aparecía en su departamento de vez en cuando llevando una botella de vino alemán y algo para picar. Oían música y luego hacían el amor, o hacían el amor y luego salían a caminar.

Terminó dándole la llave para no tener que bajar cuatro

pisos en el momento más inesperado, y cuando Javier se iba, Magdalena no tenía la menor sensación de pérdida o soledad. Se quedaba trabajando hasta tarde como si nada o iba al cine con el pintor o al teatro con el chelista.

La compañía de Javier no era una rutina ni una exigencia. Las visitas dependían de los compromisos o del trabajo de él. Y si ella no estaba en el departamento, Javier escuchaba un poco de música azorado de la colección de discos de Magdalena, o leía y se iba dejándole en un papelito cualquier locura: "Te amo aunque no estés." "Te busqué por todos los rincones." "Te quiero más cuando no te veo."

Como si fuera un juego, la ausencia de Javier le daba a Magdalena no sólo la posibilidad de trabajar con desorden, a cualquier hora, sino de avivar su deseo. Se veía a sí misma caminando de la mano de Javier por la lateral del periférico a media noche, recorriendo las calles de Coyoacán, dando de vueltas en el coche por Tlalpan... como un estado de ansiedad, de preparación, antes de hacer el amor sin culpas o con ellas.

Magdalena no se dio cuenta a qué hora se enamoró; pero sí, cuándo la relación dio un giro: la tarde en que llegó de Deportes Martí un juego de pesas. Unas pesas gigantes y estorbosas que no supo dónde colocar. Se quedaron en la sala. ¿Por qué Javier no se había tomado ni siquiera la molestia de preguntarle si podía llevarlas? ¿A qué hora iba a hacer pesas, antes o después de hacer el amor? Otro día llevaron del Palacio de Hierro una Sony con una videocasetera. Una televisión que no cabía en ningún lugar más que en la sala. Y otro día más, Javier llegó con su propio retrato en un marco de madera que colocó sobre la mesa de centro, a un lado del aparato de discos compactos que él mismo había comprado a un fayuquero.

Y no era sólo eso. No. Era que Javier había invadido también su vida íntima; la sacaba del estudio, interrumpía su trabajo, esperaba que cocinara algo para él y le prohibía descolgar la bocina del teléfono si en la grabadora se oía la voz del pintor o la del chelista.

A la mitad de la noche, Magdalena se despertó de golpe, con un sueño que de tan vívido parecía real: alguien, un hombre, se había metido a su departamento a matarla. Estaba allí, escondido en algún rincón: había escuchado claramente sus pasos.

Presa del pánico, se levantó a constatar que había sido una pesadilla. Repuesta del miedo, entendió que Javier era aquel hombre.

V

De pronto Magdalena se incorporó y saltando las pesas fue a pararse frente al ventanal. Seguía lloviendo. En el periférico había un embotellamiento. Imaginó ver el mar desde un acantilado.

No podía más. Estaba asustada y tembló al pensar en una vida junto a Javier.

—Me voy a Polonia... —comenzó con seguridad.

Él la interrumpió:

—Voy a divorciarme. Veré a mi hijo los fines de semana.

—Tengo todo arreglado para irme.

—Es el chelista.

—...

—¿Es el pintor?

Magdalena no se volvió hacia Javier. Tenía la mirada en el periférico.

—Debí haberlo imaginado —dijo fuera de sí.

—Tengo una invitación para el Festival de Cracovia del Círculo de Jóvenes Compositores, y veré la forma de quedarme.

—Oye lo que te digo, Magdalena, voy a divorciarme para vivir aquí contigo —se puso de pie.

—No, Javier, mira —dijo volviéndose hacia él y extendiendo los brazos para abarcar la sala, y luego le dio otra vez la espalda.

Javier no comprendía. Le estaba ofreciendo vivir con ella, dejar a su mujer, cambiar su vida, sacrificar su gozo del hijo.

—Oye lo que te estoy diciendo, Magdalena. Mírame. Estoy decidido; lo he estado pensando...

Pero las palabras de Javier no le llegaron a Magdalena. Se había acabado la música de Debussy y su voz alterada se confundía con el ruido de la lluvia golpeando el ventanal.

Era una noche de tormenta, y el viento arrastraba la lluvia, se la llevaba consigo.

En algún momento los coches del periférico comenzarían a circular; todo era cuestión de tener paciencia.

Magdalena sólo podía imaginar una vida, y aquella a la que Javier la estaba conduciendo, no era la suya. Tenía ganas de echarse a caminar, no a correr, descalza y libre, por la orilla de alguna playa, pero no bajo una tormenta ni hasta el cansancio.

Hospital

Caminaba por el pasillo del hospital oyendo mis pasos para no pensar. La proximidad de la muerte me tomaba por sorpresa: nunca me había preguntado cuándo moriría mi padre. Desde que lo recordaba, era un hombre viejo que podría haber sido el abuelo. Pero llegó un momento en que el tiempo no pasó por él: se había estancado en la figura de un sexagenario por lo menos diez años. Mamá, su segunda mujer, mucho más joven que él, envejeció de un golpe y murió una tarde de abril sin que mediara ninguna enfermedad. Se sentó en la mecedora a tejer y allí la encontraron después del infarto, con el rostro tranquilo como si se hubiera quedado dormida. Fue poquita cosa hasta para morir. Pero mi padre estaba viejo y tenía que morirse de algo una vez que había comenzado a pelear contra la vejez.

Después de la muerte de mamá, Luisa, mi hermana, se mudó con él. Los dos se entendían bien. Ella fue siempre la consentida.

Yo vivía en el otro extremo de la ciudad y las visitas se distanciaban cada vez más: no soportaba la idea de no ver a mamá, y de presenciar una relación de odio y dependencia entre Luisa y mi padre.

Mi relación con él fue tan mala que me orilló a abandonar la casa cuando todavía no terminaba la preparatoria. Lo detestaba muchas veces sin saber por qué; otras, porque había convertido a mamá en una nulidad que sólo sabía atenderlo; y otras más, porque sin una razón aparente me rechazaba. Creo que mi temperamento resbaladizo le ponía los pelos de punta, y mi resistencia a su dureza lo violentaba aún más.

Jorge y yo hacíamos el amor cuando sonó el teléfono. Nos miramos cómplices: lo dejaríamos sonar hasta el cansancio. Pero no fue así. La insistencia hizo que extendiera el brazo y descolgara el auricular. Mi padre estaba en urgencias del Seguro Social, dijo Luisa. Se cayó en las escaleras, le informé a Jorge. Seguro se rompió el fémur, se equivocó él.

Luisa quería que la acompañara. Me vestí y llamé un coche de sitio a pesar del ofrecimiento de Jorge de llevarme.

Atravesé una ciudad de México lluviosa, solitaria y oscura. Llegué al hospital cuando estaban operándolo. Luisa temía que la anestesia acabara con el corazón fatigado de mi padre. Permanecimos en silencio en la sala de espera.

Me fui al amanecer, una vez que él había entrado a un cuarto sin ventanas, oloroso a algo que me recordaba la brillantina Palmolive, quizás del camillero. La vida de mi padre se acababa de reducir al perímetro de ese cuarto desde donde era imposible observar hacia afuera, y del que tal vez no saldría.

Me había llevado una receta con la indicación de una dosis de morfina que necesitarían aplicarle y no tenían, como es común, en los hospitales de gobierno. El doctor estaba satisfecho de la cirugía pero pesimista de la recuperación.

Lo dejé dormido y a mi hermana preocupada. Entré al departamento cuando Jorge se daba un baño. Me metí a la regadera con él y enjabonándole el cuerpo le conté que mi padre había aguantado la operación y que le habían puesto dos clavos en la cadera.

—¿Qué vas a hacer?— aventuró Jorge.

—Regresar al hospital —contesté automáticamente pero no era eso lo que quería.

La figura de mi padre en aquella cama, en aquel cuarto, me rondaba. Había salido de la sala de recuperación más envejecido que nunca, la cara enjuta y amoratada, la pequeña nariz agrandada por el golpe.

Mi padre había sido además de frío y autoritario, un profesional mediocre que terminó de maestro de secundaria, y a quien sus alumnos jugaron más de una vez bromas pesadas que afectaban también la dignidad de mamá. Yo sufría junto con ella. "Muchachos maldosos", dijo la última vez que sacó de un bolsillo del saco algo que parecía un sandwich de aguacate destripado. Yo creía, sin embargo, que los alumnos de mi padre la vengaban; que alguien, por fin, se desquitaba de su mediocridad.

Esa caída cercaba a mi padre. Lo ponía en la mira de la muerte. Y yo me preguntaba si no llegaría a sentirme algún día culpable de mi distanciamiento: "Es tu padre", insistió más de una vez mamá.

Salí a comprar la inyección, papel higiénico y pañuelos desechables, y regresé al hospital. Mi padre seguía dormido. Relevé a Luisa.

Permanecí dormitando en la silla de madera colocada junto a la cama hasta que entró una enfermera a revisar la botella del suero. La admiré. Era imposible no sentir admiración por alguien tan calmada, tan eficiente, tan dueña como ella de seguridad. Quise salir una vez que había revisado el suero pero me pidió ayuda para moverlo. Su postura, dijo, era inconveniente. Las manos de la joven eran pequeñas y blancas. Manos cuidadas, sin duda. Cuando destapó a mi padre, el cuerpo arrugado y la piel pegada a los huesos me avasallaron. Recordé el cuerpo de Jorge resistiéndose al jabón. Sentí que aquel esqueleto que manipulábamos como un objeto inerte con la ayuda de la sábana transversal no era mi padre. Tuve miedo. Un pánico súbito me hizo creer que era un cadáver.

Cuando terminamos caminó serena hacia la puerta, sin prisa.

—Bajo la cama está el pato— fueron sus últimas palabras antes de salir.

Volvió la espera, el silencio. No sé cuánto tiempo transcurriría hasta que mi padre balbuceó algo ininteligible. Creí que iba a despertar y las palabras de la enfermera me obsesionaron. La sola idea de ponerle el pato a mi padre me volvió a convulsionar. Ningún cuerpo fue tan prohibido para mí como ése, y mirar el sexo que había penetrado a mamá para procrearme, me producía un sentimiento que iba más allá del pudor. Fui entonces presa de la ansiedad. Miré el reloj con la esperanza de que regresara Luisa y permanecí inmóvil en la silla para no despertarlo.

De niña quise a mi padre, pero no recordaba haber estado acunada en sus brazos ni, mucho menos, haberlo visto desnudo. De adolescente había odiado aquel cuerpo que hostigaba a mamá para que le sirviera y que tantas veces jugó con otras mujeres como lo delataban las llegadas a la madrugada con aliento alcohólico y palabras torpes.

Me pareció que aquella situación era una prueba para ambos. La sola posibilidad de que mi padre pidiera el pato de un momento a otro y que tuviera que ver nuevamente aquel cuerpo devastado y, sobre todo, el sexo que se había impuesto a mamá, me hacía temblar aun en contra de mi voluntad. No podía controlarme. Alguien dentro del cuarto quería salir corriendo y alguien más gritaba: "Soy tu padre".

De pronto abrió los ojos y me miró sin ninguna expresión. Le tomé la mano haciendo un esfuerzo por parecer natural:

—¿Cómo te sientes, papá?

—¿Dónde está tu hermana? —preguntó una voz húmeda.

"Fue a desayunar. No tardará", pensé pero no respondí. Volvió a cerrar los ojos. Acostado de espaldas, lívido, me lo imaginaba cansado de la postura obligada. Viví su sufrimiento y el mío. Medité en lo que podría estar pensando de sí mismo en esa situación: era un viejo. Los viejos piensan en la muerte, me dije, pero también se resisten. Me pregunté si tendría esperanzas de superar la operación y la inmovilidad, o en si en el fondo se daría por vencido para no regresar hecho un inválido a una casa abandonada como él a los destrozos del tiempo.

La figura desvalida de mamá llegó hasta mí. La deseé en esa cama, quise la oportunidad de estar cerca de ella, de apretar con ternura una mano necesitada de cariño como la mía.

Despreciaba el egoísmo de mi padre. A mamá le gustaba trabajar, el contacto con la gente. De soltera había atendido una mercería y había enseñado a sus clientas a tejer. Extrañaba las pláticas de mujeres o quizás nada más las conversaciones con gente ajena a su realidad. Se moría por poner una tienda de estambres en el garaje de la casa y mi padre se negó, como le negó poco a poco que siguiera viendo a las amigas ya viudas o divorciadas tan anhelantes como ella de compañía. Hubiera querido que fuera mamá la que estuviera en esa cama para decirle aunque tarde que si yo me había alejado era en realidad por no verla sufrir. En vida le había negado el cariño por rabia, porque ella recibía a mi padre de las juergas con aceptación, porque no sólo se había privado de los goces del cuerpo, de las satisfacciones del amor, sino que se había enconchado en la pasividad y en la falta de estima por sí misma.

Mi padre volvió a abrir los ojos.

—¿Cómo te sientes? ¿Te sientes bien? —dije.

—¿Dónde está tu hermana? —repitió una voz hueca que aleteó por todo el cuarto.

—No tarda en regresar —contesté.

Y agregué, no sé cómo:

—¿Quieres el pato?

Pero cerró los ojos. Volví a ver el reloj. Luisa no debía tardar. Ya debería estar de regreso.

La imaginé caminando por la casa, registrando el ropero del cuarto de mi padre para recoger la bata de lana a cuadros y los calcetines, entrando al baño para tomar el cepillo de su dentadura postiza, el vaso donde la dejaba remojar.

Luisa me dio lástima. Había consagrado los últimos años a mi padre igual que mamá. Había empleado su energía en negarse, en renunciar a una vida propia, a su libertad. No sólo había mutilado su corazón y renunciado a su cuerpo como mamá sino también a su espíritu caprichoso.

Mi padre habló sin abrir los ojos:

—¿Qué pasó?

—Te caíste. ¿Te acuerdas? Te operaron. Estás en el hospital. Tienes unos clavos en la cadera. Dice el doctor que la operación fue un éxito.

—¿Dónde está tu hermana? —me golpeó.

—Fue a la casa a desayunar y a traerte algunas cosas.

—Háblale a la enfermera —ordenó.

—¿Te sientes mal?

No tuve ninguna respuesta.

—¿Quieres el pato? —dije asustada, pero él se quedó callado.

La orden en la voz de mi padre me hería más que si proviniera de cualquier otra persona. Yo estaba allí para ayudarlo, y él se negaba otra vez a aceptarme. Los dos teníamos rencor.

Se me hacía la espera una fogata en el estómago, atizada por cada minuto que transcurría hasta que de pronto entró Luisa. Sólo entonces él abrió los ojos. La vio con agradecimiento. Su presencia le devolvía la confianza, el placer de ser servido, cuidado, atendido.

—Huele a orines —dijo Luisa.

Se acercó a la cama y levantó la sábana y la camisa de hospital que tenía mi padre. Fue inevitable: su sexo quedó al descubierto: flácido, diminuto, vacío; el pubis calvo.

—Ni para eso sirves —me recriminó Luisa—. Ni para eso —agregó.

Luisa salió a buscar a la enfermera mientras sus palabras me hundían y el sexo de mi padre profanaba con brutalidad los recuerdos de la adolescencia. Eso que para ella no era nada, para mí significaba todo. Me había quedado paralizada, muda. Una pena mansa al ver el sexo de mi padre me turbaba y una venganza postergada me redimía de la culpa.

A su regreso, Luisa traía una camisa de hospital y unas sábanas limpias. Vestía a mi padre como si fuera un niño de meses. Él se dejaba hacer satisfecho, olvidando el pudor si lo tenía.

Salí del cuarto. Caminaba por el pasillo escuchando mis pasos hacia la calle para no pensar en la proximidad de una muerte que no sabía cómo me iba a atormentar.

Mentira piadosa

I

La observo detenidamente mientras habla. Pienso en lo que ha dicho y callo. Oigo y la recuerdo otra: joven, igual en apariencia de estable. Qué fácil se equivoca uno.

Sé que saliendo de aquí, sus palabras van a perseguirme durante algún tiempo. No puedo creer lo que me ha contado, pero la miro: sus ojos borrachos dicen la verdad.

—¿Y qué haces ahora? —le pregunto.

—Me levanto tarde, abro la cortina y digo, por ejemplo: Voy a ir al Palacio de Hierro.

Guarda silencio.

Luego ríe:

—Compraré un vestido y un par de zapatos, o tal vez un perfume y unos aretes...

—¿Vas de compras? —le pregunto.

—Sólo la sensación de comprar, me alivia. Probarme ropa me hace sentir diferente, nueva. Luego sé que voy al bar de Sanborns a tomar una copa, la primera del día: me reconfortará del cansancio que arrastro. Después le hablaré a alguna amiga e iré con ella, como ahora, no importa mucho dónde.

II

Era una muchacha apiñonada, con el cabello castaño y los ojos azul pálido; y no parecía alumna de tercero de secundaria. Mayor que nosotras, debió ser para ella una prueba difícil el primer día de clases.

Cuando entró al salón, creímos que era un equívoco, pero atónitas la vimos caminar hasta el fondo y sentarse en un pupitre aislado.

—Aquí es tercero —dijo una voz socarrona.

Su rostro no se inmutó cuando nos volvimos a verla: sacaba de una bolsa de lona, con seguridad, los útiles.

Viéndola, era inevitable pensar en un misterio. ¿Qué hacía allí? Daba la impresión de una veinteañera disfrazada de colegiala porque el pecho frondoso y las curvas del trasero se le marcaban, por la tela del uniforme, de una manera llamativa, vulgar.

Minutos después, cuando llegó el maestro de matemáticas y pasó lista, oímos su nombre:

—Rocha...

—Eugenia Rocha —contestó.

Al descubrirla, debió haberle pasado lo mismo que a nosotras. No pudo evitar la sorpresa:

—¿De dónde vienes?

—De mi casa.

—Me refiero a la escuela. ¿De qué escuela vienes?

—De la Secundaria 2.

—¿Qué te trajo por aquí?

—La fuerza —dijo con picardía y soltamos una carcajada que nos liberó de la tensión.

Había expectativa en el grupo con una muchacha como ella. Por lo general, las nuevas eran tímidas y llegaban sin hacerse notar. Su presencia, allí, de pronto, además de extraña, era una declaración de guerra para las que tenían un lugar ganado entre los maestros y luchaban por conquistar al de matemáticas. Eugenia, la enemiga, contestaba con altivez las preguntas del profesor; y él debía fijarse en sus ojos jalados y transparentes, en sus labios provocativos y en su figura de mujer.

Eso sentí, quizás porque yo nunca llegaría a ser de las preferidas: me trataban como niña que era. Había llegado a tercero antes de cumplir los catorce.

Eso fue en 1962; entonces Eugenia tenía dieciséis, aunque parecía de dieciocho.

III

Al entrar al Teatro Insurgentes, me detuvo Eugenia. La reconocí de inmediato, sus ojos azul pálido, aunque un poco abotagados, eran inconfundibles. Encontré a una cuarentona guapa, menos gorda que yo, pero aún atractiva. Se había teñido el cabello color platino. Llevaba unos aretes de oro que hacían juego con una cadena larga y tenía puesto un sastre de corte francés y una blusa de seda rosa. Cuando se acercó, la fragancia de su perfume ya me había envuelto.

—¿Eres Carmela?

Acababa de asentir cuando abrió los brazos:

—Soy Eugenia Rocha. Eugenia. ¿Te acuerdas de mí, del Instituto Cambridge?

Me vino de un golpe su figura bajo el durazno del patio. Por supuesto que recordé a aquella muchacha voluptuosa y desenvuelta que había dado un giro a mi adolescencia, y al verla tan próspera tuve que aceptar que habíamos llegado distinto a la madurez. Su porte me dio envidia: en ella la gordura seguía siendo sensualidad; en mí, sólo años que me colgaban de más. A Eugenia le ha ido bien, pensé.

En seguida me presentó a sus hijos: una joven que debía tener diecinueve o veinte años y un muchacho como de diecisiete.

—¿Te acuerdas, Carmela?

Me acordé.

—¿Sabes a qué me refiero?

Sabía

—Hubiera sido una tontería, ¿no crees?

Deseaba contestarle pero las palabras no me salían.

Mientras ella se veía liberada de aquella historia, yo había seguido cargando con un recuerdo perturbador.

Eugenia pudo haberme reconocido y hacerse la disimulada, dar por terminado aquello. Sin embargo, no le costaba trabajo aceptar. Y yo hubiera querido reclamarle.

—¿A qué te dedicas, Carmela? —me preguntó.

—Soy...

—Búscame —no me dejó terminar—. Te invito a comer.

Me daba curiosidad su vida; ¿cómo se había manejado hasta casarse?

—¿Olvidaste? —le dije.

—¿Tu ayuda? —contestó.

Hablábamos sin que nos importara la presencia de sus hijos y me sentí incómoda, por eso me despedí.

—Voy a buscar a mis amigas, ya deben estar aquí.

El vestíbulo del teatro estaba lleno y desaparecer no me iba a ser difícil.

—Dame tu teléfono.

—Mejor dame el tuyo, yo te busco —dije pensando que tal vez no lo haría; aún no le perdonaba la experiencia que me hizo entrar de lleno al mundo de los adultos.

IV

El Instituto Cambridge, con ese nombre tan pretencioso, no tenía más de noventa estudiantes y era una escuela para mujeres, laica, bilingüe y sui géneris porque al terminar la preparatoria, salíamos también con diploma de secretaria inglés-español. Los grupos eran tan pequeños que a veces juntaban dos cursos en un salón y las clases llegaban a ser casi individuales.

La escuela estaba en la esquina de Zamora y Montes de Oca, en la colonia Condesa. Una reja antigua, azul claro, forjada con pavorreales, se abría a las ocho en punto para que pasáramos y se cerraba a las ocho y cinco dejando afuera a las impuntuales. En la Cambridge no había retardos sino faltas.

Mis padres vivían en la colonia San Miguel Chapultepec, del otro lado de la Avenida Tacubaya, parteaguas entre las dos colonias. Yo caminaba, mochila de cuero en la espalda y en la mano una bolsa de nylon con fruta fresca o zanahorias rayadas o pepinos con limón, para entretener el hambre a la hora del recreo.

A lo sumo había siete cuadras de distancia entre mi casa y la escuela, caminando en línea recta por Montes de Oca; pero yo daba una vuelta larga con tal de no pasar por la esquina de Tacubaya y Montes de Oca donde había una institución para niños con retraso mental, porque me deprimía verlos babear a través del enrejado, caminando con torpeza y mirándome con ojos de expresión indefinible: me parecía clara y confusa, inocente y maliciosa al mismo tiempo.

Cuando se me hacía tarde y me veía obligada a pasar por allí, desviaba la vista para no llegar a clases incómoda, preguntándome por qué la naturaleza era injusta y le había negado a esos niños la oportunidad de vivir que yo tenía.

En el Cambridge inicié la primaria. Me había tocado compartir cursos: segundo y tercero los llevamos en el mismo salón, igual que después cuarto y quinto; y como los maestros me habían hecho los exámenes de los dos años y resulté aprobada a pesar de mi edad, ese año me graduaba de secundaria.

Cada vez que escuchaba en boca de mis compañeras el tema de la graduación, me angustiaba, y me preocupé más desde el día en que Eugenia entró al salón.

No era fácil para mí ser la más joven, no por ser sólo la menor del grupo, sino porque mi cuerpo no quería dar de sí: no se me desarrollaban los pechos, no reglaba y seguía siendo una boba de la que se burlaban porque en el taller de tejido hacia suetercitos para la muñeca que me habían regalado los

“Reyes Magos”, mientras la mayoría de mis compañeras tejía bufandas o suéteres para sus novios.

No quería pensar en el baile de graduación; no sabía bailar y me imaginaba con un vestido largo y zapatos de tacón tropezándome en la pista y tan ridícula como Eugenia metida en ese jumper gris oxford, que debía odiar tanto como yo un vestido de baile.

Durante las primeras semanas Eugenia no hablaba con nadie y nunca se me ocurrió pensar que lo necesitaba. Al sonar el timbre del recreo, yo corría a la Dirección por la pelota de volibol y llegaba a la cancha cuando los equipos estaban formados y me había comido a toda prisa el lonch.

Al terminar el recreo, iba a dejar la pelota y llegaba a clases sin haberme formado, como se acostumbraba, para entrar en orden al salón.

Nadie sabía nada de Eugenia, de su pasado, de su familia, de su otra escuela. Pero nadie preguntaba tampoco. Había entre nosotras una especie de consigna de no hablarle, un pacto silencioso de hacerla a un lado porque ella no se acercaba y en unos días se había vuelto la única que tenía respuestas inteligentes para todo.

Su modo desenvuelto y provocativo le molestaba también a las maestras que cada vez que podían trataban de someterla, de humillarla como si fuera un demonio.

—Vas a la dirección a despintarte las uñas.

—Ve a lavarte la cara: vienes a la escuela, no a una kermés.

Eugenia regresaba al salón con la vista en alto, como si no le hubiera sido difícil acatar esas órdenes. Era también orgullosa.

A la hora del recreo se sentaba bajo un viejo durazno que floreaba en marzo pero que no daba fruta o si acaso una docena de bolitas secas y llenas de goma, incomibles. Se ponía a leer historietas románticas que escondía entre las hojas del libro de lectura y se olvidaba de nosotras o, tal vez, nosotras nos olvidábamos de su existencia.

Una mañana de junio me caí en el juego de volibol tratando

de sacar una picada y me raspé las rodillas. No sólo tuve que soportar las curaciones de la directora, quien me vació una botella de agua oxigenada y otra de mercurocromo en la carne viva, sino una semana sin jugar.

Uno de esos días fui a sentarme junto a Eugenia, quien no quitó la vista de su libro.

—¿Qué lees?

—...

—¿Qué es eso?

No me contestó. Me iba a levantar cuando me fijé en una de sus piernas. La calceta blanca se le había bajado y tenía descubierta una mancha amoratada, un verdugón dejado por un cintarazo. Era inconfundible. A mi hermano Carlos le había dejado mi papá esa marca la noche que el dueño del estanquillo de la esquina le fue a decir que Carlos le había robado unos álbumes de estampitas de futbol.

—Te pegaron —le dije.

Instintivamente se llevó la mano a la calceta y se la subió.

—Fue con un cinturón —afirmé.

Eugenia levantó la vista del libro.

—No te metas en lo que no te importa.

—Mi mamá le puso árnica a mi hermano, cuando mi papá le dio de cintarazos.

—Déjame en paz.

Me levanté.

—No le digas a nadie —me pidió en un tono que era también un ruego.

Me fui pensando qué podía haber hecho Eugenia para recibir ese trato y no le conté a nadie. Pero esa tarde le pedí a mi mamá su botella de árnica "para el botiquín de la escuela".

Al día siguiente se la di a Eugenia a la hora del recreo. Cuando me acerqué fue agresiva:

—Lárgate de aquí.

Le dejé a un lado la bolsa de estraza donde había ocultado el árnica y yéndome a ver el juego de volibol le dije que le iba a hacer bien.

No volví a hablar con Eugenia en varios días hasta que faltó a clases y a su regreso vino a pedirme los cuadernos para ponerse al corriente. Fue ella quien me buscó y luego me dio las gracias por el silencio y el árnica. Entonces me atreví:

—¿Quién te pegó?

—Mi mamá.

—¿Tu mamá?

—...

—¿Qué hiciste?

—Nada.

No pregunté más, pero comenzamos a ser amigas.

V

Una tarde, antes de salir de mi trabajo, decidí llamar a Eugenia. Esa mañana, mientras corría en la pista de madera del Deportivo Chapultepec, había estado pensando en ella. Seguía curiosa y, sobre todo, quería reclamarle que me hubiera usado de esa manera. Deseaba saber la verdad, me sentía con derecho a ella.

Nos quedamos de ver en La Pérgola. Cuando entró, llamó la atención de los señores que estaban en la mesa de junto. Seguía siendo una mujer atractiva.

Al principio, el sentido del humor y el bienestar de Eugenia me daban envidia. Se había casado con un constructor que había "tenido la suerte" de contar con un amigo en el Departamento del Distrito Federal, quien le había dado las obras de urbanización del Huizachal, una colonia para militares, arriba del restorán El Caballo Bayo. En suma, se había hecho millonario.

—¿Cómo lo conociste?

—En una fiesta. Me acababa de divorciar.

Me enteré que el hombre con quien vivía era su tercer marido. Sus hijos eran del segundo matrimonio porque en el primero no había podido embarazarse; vivían con el papá.

Le conté que mis padres murieron, y heredé la casa de San Miguel Chapultepec, donde vivo. Le dije que Carlos trabajaba en Quintana Roo, y que mi esposo era el administrador de una fábrica de láminas de acero para cocinas; que mi hija Marcela estudiaba en la Universidad de Texas, y que yo era secretaria en la Fundación Cultural Banamex; que me gustaba mi trabajo porque conocía a gente diversa, artistas en su mayoría.

—¿Nunca has tenido un amante? —me preguntó en seco.

La desilusioné.

—¿Tu marido?

—No creo.

—¿Estás segura?

—¿A qué vienen esas preguntas? —protesté.

—Mi Carmela, tienes una pequeña-vida-monótona-y-aburrida —se rió.

Me molestó su ironía y que estuviera bebiendo tanto. Entonces le pregunté si alguien sabía lo que sucedió aquel año, pero guardó silencio; no quiso hablar del asunto: cada vez que yo iniciaba el tema, desviaba la conversación. El resto de la comida lo dedicó a contarme de sus viajes a Oriente y Europa Central.

Decidí irme. Había esperado de esa reunión sólo la verdad, porque estaba segura de que me había contado una estúpida mentira cuando sucedió aquello.

—No te he perdonado, Eugenia. Abusaste de mi amistad y de mi ignorancia.

—Tienes razón, Carmela —me dijo—, ahora puedo contarte lo que pasó.

VI

Ese verano había hecho un calor insoportable y a pesar de que aquel día en especial estaba terrible, Eugenia no se había quitado el suéter.

Caminábamos juntas por Montes de Oca. Ella tomaba un

autobús en Tacubaya que la dejaba, según me decía, en Avenida Revolución a unas cuántas cuadras de su casa.

—Me da más calor verte.

No me contestó.

—Vas sudando, Eugenia.

Se bajó el suéter de un hombro: en el brazo tenía otra vez la marca del cinturón.

—¿Qué hiciste?

—Nada.

—No es cierto.

—A mi mamá no le gusta mi novio.

—¿Por qué?

—No sé.

—¿Cómo es?

—...

—¿Cómo se llama?

—...

Fue inútil. La reserva de Eugenia era definitiva. Me quedé en silencio hasta que detuvo el autobús y subió.

Al día siguiente, a la hora del recreo no fui a la cancha de volibol sino a sentarme junto a Eugenia.

—No te creo.

—No me creas.

—¿Por qué no le gusta a tu mamá?

—Ya te dije que no sé.

—¿Y tu papá qué dice?

—No sabe. No sabe que tengo novio y no es mi papá, es mi padrastro.

—¿Qué vas a hacer para el baile?

—¿Qué baile?

—El de graduación.

—Quién piensa en el baile de graduación —exclamó.

Un viernes al medio día, caminábamos por Montes de Oca, cuando se detuvo un Chevrolet verde y el conductor le gritó.

No me dijo ni adiós. Se dirigió al automóvil y los vi perderse hacia la Avenida Revolución.

—¿Quién era? — le pregunté el lunes siguiente.

—Mi tío.

Le creí porque mi tío José también usaba sombrero dentro del automóvil.

Ahí terminó la conversación.

Los exámenes semestrales se acercaban y casi no teníamos tiempo de platicar.

Eugenia seguía sin llevarse con nadie; yo era la única que sabía que su mamá le pegaba, que tenía padrastro y que la habían sacado de la Secundaria 2 porque su novio estudiaba allí. Mis compañeras del salón, especialmente las del volibol y la maestra de historia me hostigaban para que dejara de juntarme con Eugenia.

—No te lleves con ella.

—Te va a hacer daño.

—¿No te das cuenta cómo es?

¿Cómo era Eugenia? Mayor que nosotras, desenvuelta y solitaria. Yo era su única amiga y todo mundo se sentía con derecho de prohibirme su amistad.

Dos o tres veces por semana su tío la esperaba en la esquina de Montes de Oca y Tacubaya, y yo los veía desaparecer en el Chevrolet verde.

VII

Pasaron los exámenes semestrales y después de ellos me llegó una madrugada la menstruación. Entonces mi mamá se levantó y dándome unas toallas y un cinturón sanitarios dijo que me había convertido en mujer y que cada 28 días me iba a pasar lo mismo. Fue todo, regresó a dormir.

Eugenia se encargó de explicarme detalladamente por qué reglaba, y me habló sin reservas del "acto sexual" y del nacimiento de los niños por la vagina.

A mi mamá la convencí de no pensar en el vestido de baile porque a pesar de mi regla, mi cuerpo seguía siendo una tabla y me parecía ridículo ponerme zapatos de tacón y vestido largo.

—Eres una niña todavía, Carmela —terminó contradiciendo su rápida bienvenida al mundo de la mujer.

Uno de esos días, camino a Tacubaya se detuvo Eugenia.

—Necesito que me hagas un favor.

Nunca me imaginé.

—Que me acompañes al dentista.

—¿Y tu mamá?

—Está muy ocupada.

—Tu padrastro.

—Cómo crees.

—Tu tío.

—Menos.

—No me dejan salir.

—Dile a tu mamá que vamos a estudiar.

—Y si se entera...

—No tiene por qué.

—No puedo.

—¿No eres mi amiga?

El lunes siguiente me esperó por la tarde en la Avenida Tacubaya. Dije que iba a estudiar a su casa. Tomamos un taxi que nos dejó en la calle de Génova, en la Zona Rosa. Eugenia tocó el timbre en una casa que no parecía consultorio. Nos pasaron a la sala y poco después una enfermera le pidió a Eugenia que subiera "con la doctora" y a mí me ofreció un refresco.

—No te preocupes —me dijo.

Por supuesto que me asusté. Intuí algo raro. Eugenia había estado callada durante el camino en el taxi. ¿Qué hacia allá arriba en una casa que no parecía clínica ni hospital ni consultorio?

Miré a mi alrededor. Estaba en una sala común y corriente: cuadros, adornos, ceniceros de plata y cristal y en una pared la imagen de la Virgen de Guadalupe. Se parecía a la estancia del departamento de unos amigos de mis papás. Tuve deseos de salir corriendo, aunque al mismo tiempo temía por Eugenia.

Tardó mucho en bajar. Quizás unas dos o tres horas que me parecieron una vida. Había oscurecido y me imaginaba la regañada que me iba a dar mi mamá. Y lo peor: que hubiera hablado a casa de Eugenia preguntando por mí.

Con Eugenia venía la enfermera.

—Todo salió bien. Tienes que comprar esto en la farmacia —dijo extendiéndome una receta—. Tu hermanita necesita guardar reposo cuando menos un día. Ella sabe lo que tiene que hacer.

Eugenia estaba pálida y caminaba despacio.

—Mañana estaré bien, no pongas esa cara. Estaré bonita y contenta. Mañana estaré contenta otra vez —repitió viéndome y tratando de sonreír apenas.

La garganta se me cerró y los ojos me parpadeaban. Sabía que iba a llorar, siempre pasaba lo mismo, así me entraba el pánico.

En la calle, Eugenia me confesó:

—Me hicieron un legrado.

—¿Qué es eso?

—Aborto.

Me solté a llorar. Me había llevado allí sin decirme nada. Abortar, ella misma me lo había dicho, era no sólo contra la ley y contra la naturaleza sino también contra la religión que teníamos, y me había hecho su cómplice. ¿Cómo decirle a mi mamá dónde había estado?

Tomamos un taxi y me bajé llorando todavía en Tacubaya, muerta del susto de que me hubieran buscado y confundida. No podía pensar. Trataba de imaginarme cómo iba a entrar Eugenia a su casa. ¿Qué iba a decir, qué iba a decir yo cuando me vieran llorando?

Eugenia no fue a la escuela en tres días. Me sentía responsable porque no quise ir a la farmacia con ella.

Ese viernes se presentó a clases como si nada. La amenacé asegurándole que iba a contarle a mi mamá la verdad porque no aguantaba.

—¿Qué hubiera hecho con un niño, Carmela? Entiende.

—¿Y tu novio?

—Terminamos.

—Ves cómo tu mamá tenía razón —le dije.

—Júrame que no le vas a decir a nadie.

No juré.

—Júramelo, Carmela.

No lo hice.

—Imagínate que hubiera tenido un hijo...

Un hijo hubiera arruinado su vida, y su mamá la habría matado a cintarazos.

Quizás para Eugenia había pasado lo peor cuando para mí se iniciaba una etapa de miedo, de inseguridad, de incomprensión por lo que había hecho.

Orillada por la culpa fui a confesarme a la iglesia de los carmelitas, la Sabatina, que estaba a tres cuadras de mi casa.

Aguanté un sermón del padre Ocampo ("No es la voluntad de nuestro Padre que se pierdan estos niños", etc.), y una colérica regañada ("Nadie debe impedir el propósito de salvación..."). Me prohibió en definitiva la amistad de Eugenia, y estaba empeñado en obligarme a confesarle también a mi mamá lo que había sucedido ("Las malas compañías hunden a los hombres").

Seguí sintiéndome mal durante mucho tiempo, me costó trabajo olvidar esa pesadilla.

Evité en lo posible la compañía de Eugenia hasta que desapareció de la escuela. Un día ya no regresó.

Al final del año fui al baile de graduación con un vestido de gasa que me hizo mi madrina Angelita y bailé con mi hermano y su amigo Ramón. Habíamos ensayado dos semanas.

VIII

Eugenia pidió otro coñac. No era verdad que su mamá la hubiera sacado de la Secundaria 2 porque allí estudiaba su novio sino porque se cambiaron de casa. Su "novio" era el señor del Chevrolet verde, quien la sedujo: un amigo casado del padrastro. Los cinturonazos se los dio la mamá cuando se dio cuenta de que llegaba a su casa con aliento alcohólico. Al principio se enamoró, después tenía miedo; se sintió atrapada.

La llevaba a bailar en las tardes a un lugar que se llamaba Ro en la carretera a Toluca. Un restorán-bar corriente y a media luz donde había una pista de baile.

—Era un lugar al que iban parejas... secretarias con los jefes; amantes. Después del primer trago se me olvidaba todo. Me emborrachaba rápido mientras él tenía su mano bajo la mesa, entre mis piernas, calentándome también con sus palabras lascivas y obscenas.

Luego iban a un hotel de paso que estaba cerca de allí.

—Me daba dinero para que me comprara ropa interior. Me decía: "A ver. Vamos a ver qué ropita te pusiste hoy". Yo cerraba los ojos para no pensar. ¿Qué estás haciendo aquí? ¿Qué estás haciendo con tu vida? La gente habla de felicidad, pero la verdadera felicidad es cuando ya no te importa si te mueres, cuando ya no te importa nada. Llegas a eso después de un tiempo, cuando te das cuenta de que no tienes salida, de que tu padrastro es un cerdo, de que sabe que su amigo te asedia, de que tu mamá es una estúpida que te pega en lugar de ayudarte a escapar, de que en la escuela te humillan; cuando no puedes llorar, cuando todo el mundo te ha cerrado la puerta en la nariz y te sientes una basura. Entonces te emborrachas y haces el amor y después pierdes el sueño convenciéndote: Mañana será distinto..., hasta que te odias.

Después del aborto volvió a salir con el hombre del Chevrolet verde, hasta que una noche se escapó a Morelia donde vivía una hermana suya. Se casó a los diecisiete años con un primo de su cuñado, sólo por casarse. Se divorció a los veinte. El segundo marido le quitó los hijos. El tercero mantenía a una amante.

Esa era la atractiva y sonriente Eugenia.

—La condición era que llegara acompañada. Dije que eras mi hermana. Después de todo, nos parecíamos: una mentira piadosa.

Volví a verla con detenimiento. Pensaba en lo que me había relatado y callé otra vez. Sabía que saliendo de allí sus palabras y su imagen iban a acompañarme durante algún tiempo.

Eso sucedió hace dos años. Y todavía nos veo como si fuera en este momento, sentadas en aquella mesa de La Pérgola:

La observo detenidamente mientras habla. Pienso en lo que ha dicho y callo...

Una mandarina
es una mandarina

Se habían sentado en una mesa arrinconada de un bar en la Avenida Principal. Un bar pequeño, casi vacío. Él llevaba un saco de piel negra recién estrenado y pantalones de mezclilla. Fumaba nervioso. Sonia tenía el cabello recogido en una cola de caballo, y una blusa, bajo la cual se veía el leotardo que se dejó después del ensayo. Sonia guardaba silencio. Las palabras se le negaban.

Era una de esas noches calurosas de verano, húmeda por las nubes que amenazaban con derramarse sobre la ciudad.

Él pidió otro Herradura reposado. Ella seguía muda, tratando de ocultar el dolor. Paralizada, como si fuera la estatua mítica de sal, no se movía.

Lo miraba sin verlo, las manos aferradas al vaso de ron. Quería pensar en otra cosa, en la pareja de la mesa contigua, en la coreografía que estaba montando, en el mesero, en lo que fuera... pero una y otra vez volvían a ella las palabras de él.

Había sido breve, casi cortés.

—No puedo tener dos vidas. ¿Entiendes?

Entendía perfectamente, aunque no hubiera ido preparada, para ése ni ningún otro argumento de ruptura.

No podía cambiar la realidad. Pensaba: "No hay fórmula

mágica. Una mandarina es una mandarina".

Él no quería herirla. Le decía adiós sin decirlo; significaba hasta nunca sin hablar, hasta siempre, hasta quién sabe cuándo ni de qué modo.

Sonia lo conocía de siempre, lo había visto desde siempre en el edificio donde vivían sus padres; los padres de Sonia. Él tenía el taller en la azotea. Cuando llegó, era un pintor desconocido. El padre de Sonia lo descubrió una mañana entrando con un manojo de pinceles. Le habló. Se hicieron amigos.

—Ese muchacho es un artista —había dicho el padre de Sonia, cuando vio su trabajo—. Un artista, acuérdense de mí. Tiene talento y personalidad.

Él fue haciéndose de un nombre; el padre de Sonia leía en el periódico y escuchaba en la televisión sobre las exposiciones del pintor en México, en el extranjero.

Sonia y él se saludaban, a veces, en la entrada del edificio, en el estacionamiento, en las escaleras: "Buenas tardes, buenas noches". Hasta que él la invitó:

—Voy a tener una exposición.

Tenía razón el padre de Sonia. Las imágenes en las telas parecían tener más fuerza que los objetos. Ella creyó esa noche que la mandarina no era lo que había pensado, sino un símbolo con el cuál él jugaba, y ella supuso descubrir.

Esa noche apenas si se hablaron. Él le agradeció con cortesía la asistencia. Sonia salió sin despedirse.

Fui a una exposición de tu amigo, papá —dijo un martes que fue de visita.

—¿Qué tal? —preguntó.

—Distinto —aseguró con entusiasmo.

—Te lo dije —expresó orgulloso el padre de Sonia como si fuera el padre de él.

Otro día se cruzaron en las escaleras.

—Me gustó la mandarina —dijo ella—, porque es algo que está dentro de ti.

Complacido del comentario, la invitó otra vez.

—¿Te gustaría ver lo que estoy haciendo?

Subieron juntos. Sonia miró la cantidad de pinceles clavados en frascos, los tubos de óleos. El taller tenía orden dentro del desorden. Las mesas y el piso estaban manchados, pero los botes, las paletas, los pinceles, las telas y los trapos parecían colocados con voluntad, como si ése y no otro fuera el lugar que les correspondía. En un caballete estaba la figura inacabada de una mujer.

Él puso un disco compacto de Mozart y le mostró su obra y la colección de grabados de la cual estaba orgulloso. A Sonia le gustó un Toledo, que él puso aparte, y le ofreció un café. Hablaron con facilidad, como si hubieran sido amigos de toda la vida. Cuando él pronunció cinabrio, ella exclamó:

—Es una palabra bonita.

Él tomó una hoja de papel azul y trazó con tinta china: "Cinabrio está contento porque le gustas".

Al salir, ella llevaba también el grabado de Toledo que él le colocó, a la fuerza, en la mano.

El martes siguiente él la estaba esperando en la puerta del edificio.

—¿Caminamos un poco antes de que entres a ver a tu papá?

Caminaron toda la tarde y así fue como empezaron a verse los martes. Se citaban en una cafetería, lejos del edificio, para que el padre de Sonia no sospechara aquella amistad, para que no se inquietara, para que no la interrumpiera. Recorrían la ciudad, iban a algún museo, se escapaban a cenar. Hablaban de todo; pero mucho de ellos. La historia de siempre.

Una tarde él le confesó, aunque no necesitaba hacerlo, que estaba enamorado a pesar de la imposibilidad.

A ella, la misma confesión le llevaría tiempo. Dejó de verlo los martes, de ir a las citas. Pero él la buscó insistente y Sonia no quiso resistir las ganas de verlo. Sin embargo, marcada entre ellos, había una distancia, un límite que agrandaba el deseo insatisfecho y que iba creciendo conforme llegaban los encuentros y se hacían más frecuentes.

Él la llenaba de palabras distintas, como si tiñera de granada el cielo en un lienzo. La hacía flotar contenta por la vida, como los objetos que él trazaba al viento en las telas.

Pero él acababa de decir que entendiera. "No puedo tener dos vidas. ¿Entiéndes?" Así, de pronto.

Sonia hacía un esfuerzo por moverse, por hablar, por encontrar una palabra que pudiera retenerlo, hasta que por fin dijo aunque no era eso lo que quería:

—*Assez.*

Él la miró sin comprender.

—*Assez*, quiere decir basta —explicó mientras se ponía de pie.

Él guardó silencio.

—Tienes razón —se despidió Sonia—. Mi marido debe estar esperándome para cenar.

Fantasmas

Para Bárbara y Bob Zagg

I

Llego con mi hija Mariana y su novio a la casa de la abuela en la colonia Roma. Hacía años que no iba por ese rumbo de la ciudad. Me sorprende cómo han cambiado las calles, ahora ejes viales, y cómo se han llenado de edificios de apartamentos, de oficinas.

La casa está deshabitada y no sé cuál de todas las llaves del manojo que juego en las manos abra el zaguán. Vamos a recoger, por insistencia de Mariana, una máquina Singer de pedales que me heredaron las tías. Mi hija va a casarse y la quiere porque es una antigüedad, para decorar la estancia, no porque sepa coser.

Al meter la llave en la cerradura del candado, vuelvo de un golpe a mi niñez:

Me veo como ahora lo hago yo con mi hija, llegando allí mismo con mi mamá una mañana airosa. Me ha llevado a la fuerza. Gustavo, el chofer, nos abre la puerta del Packard y después toma mi petaca de la cajuela; nosotros decimos petaca.

Como me ve llorar, Gustavo cierra un ojo y dice mientras me carga que va a ir por mí. Vive cruzando la Avenida Cuauhtémoc, en la colonia de los Doctores. Allá, tres cuadras después del parque. El parque se llama Amado Nervo y en él veré jugar por las tardes a los niños de la colonia, desde la ventana del cuarto de mi Tona.

—Te voy a llevar en el tranvía por un helado a la Plaza Miravalle —me sonríe Gustavo.

Me vuelvo hacia la Avenida Alvaro Obregón porque hasta acá, en la esquina de Colima y Morelia, se oye la maquinita.

II

Es irremediable, estoy en Colima, en esta casa que se cae de vieja, donde no hay regaderas sino tinas hondas, donde los excusados tienen la caja del agua arriba y hay que jalar una cadena larga para que se vacíe, donde los cuartos son oscuros y pequeños, donde la azotea es peligrosa porque no tiene bardas de contención, donde no hay ni un pedacito de jardín.

Estar en Colima quiere decir "en casa de mi Tona". En la familia todo se nombra de otro modo:

Petaca, Colima, Tona.

La abuela no es la abuela sino la Tona; "La Madre Tona", la mamatona, la mamá Antonia que es al mismo tiempo la madre luz, la madre espiritual, el alma de la casa y de la familia —según dicen sus hijos.

—Costumbres de pueblo —dice mi otra abuela, que como yo, tampoco entiende de dónde viene todo eso del tona.

—Te voy a dejar con tu Tona mientras regreso de Matamoros— me dijo mi mamá y me puse a llorar.

Mi madre viajará al norte, al estado de Tamaulipas a ver a su hermano Juan que tiene ranchos algodoneros. Uno es de mi mamá pero él lo cultiva. Creo que se lo renta. Las cosechas se pierden desde que puedo acordarme. Llegan a Colima los telefonazos o las cartas del tío Juan: cuando no heló, se llevó la cosecha la falta de lluvia o hubo una tempestad.

Este año tampoco se logró nada, pero de cualquier forma, mi mamá irá de compras al otro lado, a Brownsville. Me va a traer un cóquer de peluche que ladra si le aprietas el hocico.

—Para que dejes en paz a la Negra, para que no la metas a tu cuarto ni se trepe a la cama; mira qué asco, cómo puedes dormir con ella.

También vendrá en la petaca un conejo *Bugs Bunny* de hule, idéntico al de las caricaturas:

—Ya verás: tiene los dientes salidos como tú.

Mi mamá me suelta la mano, se adelanta.

—Mária Looopez —grita Conchita Molina desde la acera de enfrente.

Así, con acento en la a y la o muy larga; cantadito.

Conchita es una oaxaqueña que vive en la calle de Frontera, a una cuadra, y que además le dice a mi mamá "madrinita", aunque no es su ahijada. Mis papás iban a registrar a los hijos que Concepción no pudo tener.

—Mira que llamarse así y no concebir —murmuran de ella, pero nos tiene a nosotros, a los hijos de Mária Looopez..

Conchita vendrá por mí el 16 de septiembre para llevarme al tercer grito del presidente Ruiz Cortines, al mero Zócalo, donde voy a caminar de la mano de ella y de Salvador Cruz, su esposo, entre la gente, los puestos de fritangas, de buñuelos, de ponches, de atoles y de cohetes, soplándole a la espantasuegras o a la trompeta.

Conchita Molina y Salvador Cruz me van a llevar a dar la vuelta en el trenecito de Chapultepec y me van a regalar el disco RCA-Víctor que tanto pido, el de Los Tres Diamantes: *Usted*. Porque sí, porque me gusta, porque no les puedo explicar por qué pero lo quiero. Y me lo dan muertos de risa de que una niña de 8 años cante:

Usted llenó mi vida
de dulces inquietudes
y amargos desencantos...

—Madrinita, ¿vas llegando? —repite Conchita Molina desde la acera de enfrente.

Mi madre es para los vecinos oaxaqueños de la colonia Mária Looopez; antes era la señora de Sánchez. Mária Looopez, la madrinita, se vuelve, sonríe y mueve la mano para decir adiós. Cómo le brilla el pelo a mi mamá, qué ojos. La única sonrisa que me alegra el alma.

Por primera vez tomo conciencia de la frescura de María López. Gustavo dice que mi mamá se ve muy joven, pero tiene 42 años. Hace un año se divorció de mi papá. A mi papá no lo vemos: se fue a vivir al extranjero con otra mujer.

María López es una divorciada con tres hijos; y allá va, saludando a Conchita Molina como si nada.

Desde los brazos de Gustavo la veo subir con elegancia las escaleras del pórtico y atravesar con su cuerpo delgado y su cara de artista de cine la terracita de los helechos, la que cubre una de las entradas del sótano, la que da hacia la calle.

De pronto, la luz de la mañana inunda la fachada de Colima y obliga a las sombras a esconderse tras las balaustradas de las terrazas. El aire apresurado de marzo arrastra otra vez el polvo del parque Amado Nervo y las hojas de los árboles, en un torbellino que nos obliga a contener la respiración y a cerrar los ojos. Cuando los abro, mi mamá ha desaparecido.

Al pasar por la reja, me prendo de un barrote. Gustavo se da un jalón.

—Suéltalo —exige.

Le murmuro al oído lo que mis hermanos aseguran: en Colima hay fantasmas. Los han oído caminar, sentarse en las camas, respirando, sacando agua del pozo. Viven en el sótano, entre los cachivaches, se esconden en los rincones, en los roperos, tras las puertas. El Espuco del Nito, los llaman como si fueran uno.

Nito es Juan Manuel, a quien adoro, mi primo Juan Manuel que estudió medicina y vive en Texcoco; y tiene una calavera en su consultorio.

En Colima también existen otras palabras que fuera de allí

no tienen sentido: Eeeeesssss-puuuu-coooo. No me atrevo a pronunciar ésta en voz alta porque, libre de mí, se irá y volverá como el eco, después de haber entrado y salido de cada una de las habitaciones.

—Me da miedo —le digo a Gustavo.

—Los fantasmas no se presentan a los espíritus fuertes como el tuyo —dice.

Y como arte de magia, suelto el barrote y paso el brazo con cuidado por su cuello mientras subimos la escalera. Me deja en el pórtico y asienta la petaca a un lado. Saca del bolsillo un llaverito de madera que hizo y me convence de que es un talismán:

—Te va a proteger; te va a dar más fuerza.

Gustavo baja los escalones de dos en dos y se retira al coche a entretener el ocio en la *Mecánica popular*, mientras espera a María López.

Subo por las escaleras de madera al cuarto de mi Tona, gritando que Gustavo va a ir por mí para llevarme en el tranvía a tomar un helado a la Plaza Miravalle.

Gustavo es algo más que un simple chofer. Lo admiro tanto... Se pasa la vida haciendo cosas: en el garaje de la casa ha instalado un taller. Mientras espera a mi mamá, hace figuras de alambre con cabecitas de madera y serpientes de carrizo, pinta juguetes, arregla las bicicletas de mis hermanos, aceita las ruedas de la cortadora del pasto, renueva la casita de la Negra, desarma la plancha, destapa el calentador de petróleo. El coche nunca va a servicio; para qué, si Gustavo tiene aceite, grasa y gasolina blanca, botellitas con tornillos, roldanas, tuercas, y un montonal de llaves, pinzas y desarmadores.

Le hizo un corralito en la azotea a los pollos que me trajo a regalar, y me dio un par de nalgadas la tarde en la que abrí la puerta del coche en la Avenida Chapultepec, gritando que no iba a la clase de baile con la señorita Cantú, porque no quería aprender ballet sino tap.

A Gustavo lo quiero. Es de los que forman el lado amable

de mi alrededor. Cuando vamos en el coche, no deja de platicar. Por él sé que Ana Bertha Lepe quedó en cuarto lugar en el certamen de la Miss Universo del año pasado, y cómo se reproducen los alacranes y las arañas. También me asegura que Jorge Negrete se casó con Gloria Marín y es muy ojo alegre. Entona con buena voz un montón de canciones de Jorge Negrete, aferrado al volante, haciendo su cara de Jorge Negrete.

—Se parece mucho, mucho —dice mi cocinera, que no se equivoca porque tiene una foto de Jorge Negrete en su cuarto.

Ella cree que los sábados, cuando Gustavo va al Salón México a bailar, todos deben creer que es el actor.

Gustavo está seguro de que Raúl Macías, el Ratón Macías, su mero mero gallo del box, va a ser campeón mundial:

—...porque se entrega, lo debías ver.

Gustavo me lleva a escondidas al Nuevo Japón de la Avenida Insurgentes a comprar sombrillas y abanicos de papel y camaritas que toman fotos de verdad, o al mercado de San Juan a comprar pescado para su mamá, o a casa de su tía Lola en la calle de San Luis Potosí donde siempre quiero ir porque cuando ellos arreglan sus asuntos, me dejo llevar por el canto de los canarios, cuyas jaulas llenan la pared del corredor. Ese alboroto de colores me da gusto.

Ay, pero Gustavo tiene un vicio terrible. Me lo ha confesado: va al hipódromo. No lo puede evitar. Le gana de ansias, le emociona el estómago, lo hace temblar. Es un vicio horrible porque pierde dinero.

Yo quiero crecer para saber cómo se sienten las ansias en el corazón y la emoción en el estómago cuando tu caballo va llegando a la meta; quiero sufrir los sentimientos irremediables, conocer aquellos que son más fuertes que uno mismo.

Gustavo, además, es novio de una telefonista. Cuando caminamos a la farmacia de la esquina de Insurgentes y San Luis Potosí, a comprar los bellergales y los enterovioformos para mi mamá, pasamos a verla al edificio de junto; y mientras yo juego con el conmutador, ellos se hablan bajito y se besan como he visto en las películas de Jorge Negrete y Gloria Marín. Me hago la desentendida; ya sé que Gustavo me va a regalar unas Pastillas del Doctor Andrew aunque sean para la tos y de regreso va a cantar:

Suave que me estás matando
que estás acabando con mi corazón...

Su favorita.

Mamatona me dice:

—Qué helado ni qué ocho cuartos; qué tranvía ni qué nada. Gustavo es un chofer, un simple chofer... —¿qué no sé?

III

Medio escondido en la penumbra, en el cuarto de mi Tona, está el tío Eligio, un viejito que me presentan. El tío Eligio es el hermano menor de mi Tona y llegó hace un momento de Oaxaca. Trajo chapulines tostados que él mismo prepara y me ofrece hormigas chicatanas que saca de una bolsa de estraza grasienta. Me dan asco.

—No —digo—. Gracias.

—Muy educada tu chamaquita, María.

Eligio Gutiérrez, se llama.

—Qué bien está usted, tío —dice mi mamá—. ¿Cuántos años tiene?

—Apenas 79 —responde.

Se cubre las canas con un sombrero de palma raído. Lleva un traje lustroso y calza zapatos gastados. Se parece al borracho Cirilo Valenzuela, el que pasa por las noches rumbo a Romita tocando una corneta desafinada.

—Allá va Cirilo —dice mi Tona desde su cama—. Allá va Cirilo Valenzuela con su música a otra parte.

Y vuelo a la terraza, a verlo trastabillar con la corneta, con la gorra vieja, el saco incoloro y los zapatos llenos de tierra.

Cirilo fue cabo. El cabo Cirilo debió ser el corneta de su batallón. La figura de Cirilo yendo hacia Romita me atrae, me da curiosidad. Algo me dice que Cirilo Valenzuela es de los que conocen los sentimientos más fuertes que uno mismo. Me gustaría ir tras él a ver qué hace.

—Es un pobre teporocho —dice la tía Sarita.

El tío Eligio era campesino. Sembraba frijol y maíz. Gustavo, el que no es más que un simple chofer, viste traje nuevo y corbata, especialmente si lleva a María López en el coche.

El tío Eligio es ahora un viejo cansado y pobre que vino a ver si le ayudan con algo sus sobrinos, los hijos de su hermana a la que le fue bien porque se acomodó con un hombre rico. Anda muy mal de salud. Nunca los buscó para nada...

—Tú lo sabes, Antonia Gutiérrez.

—...

—Tampoco fui a tenderle la mano a tu marido, María.

Mi mamá guarda silencio. No le dice que ya se divorció.

Lo observo con curiosidad. Nunca había oído hablar de un hermano pobre de mi Tona ni había escuchado a mi mamá decirle tío a nadie. Y ese tío que no puedo creer, me da desconfianza. No se ha bañado por lo menos en una semana, lo sé por el hedor acre, ligeramente pútrido, que despide y por la barba crecida.

Habla de lugares que no conoceré nunca y que forman parte de la saga familiar: Chimecatitlán, Santa Flor, San Juan, Cuyamecalco, Mixtepec, San Miguel, Yuxtlahuaca.

El tío Eligio trajo otros fantasmas a Colima del río Verde, del río Mixteco, del río Santo Domingo, del río Balsas. Mi abuela y él hablarán con ellos tardes enteras mientras me la paso frente a la ventana cosiendo bolsitas:

—Talegas —dicen él y mi Tona.

Mañana, cuando hayan preparado el baño al tío Eligio y le hayan regalado una muda completa de mi primo Salvador que vive en Colima, lo voy a ver rasurado y limpio. Entonces, me iré para atrás: es mi retrato de viejita.

—Parece tu papá —asegura mi mamatona.
—Somos *Nyuu sabi*, hija. Ve.
—¿Ñu qué? —digo.
—Mixtecos, hija, gente de la lluvia. Somos *Nyuu sabi*, ve.
Veo: llegaré a ancianita con esas arrugas.

Bañado y limpio, al tío Eligio le da por perseguir a Lupe, la sirvienta. Lo sorprendo en la cocina tratando de tocarle los pechos; lo pesco en las escaleras del sótano intentando acariciarle las nalgas, lo veo queriéndola abrazar mientras ella barre la terraza.

Y miro en silencio, sin contar a nadie lo que hace el tío Eligio, a cambio de unas moneditas de a centavo, seguramente muy antiguas, que me tiende en una talega de cuero gastado y sucio.

Con los centavos del tío Eligio juego a la farmacia en el cuarto de Sarita. Pongo en el pretil de la ventana que da al parque las cajas de medicinas que recabo por la casa. Jalo una mesa, me pongo detrás de ella y cuando viene Mari, la enfermera de mi Tona, a pedirme la pomada de los ojos o las pastillas del dolor o las de la circulación, le digo que valen 15 o 20 centavos, y no se las entrego sino que le hago un recibo en un papelito y le doy una moneda para que me pague, hasta que desde la ventana veo en el parque al tío Eligio metiéndole la mano a Lupe debajo de la falda; besándola. Hay algo en ese beso que me recuerda la grasa de las hormigas chicatanas y espanta mi conciencia.

No le vuelvo a hablar al tío Eligio, me da miedo; y me quejo de la comida de Lupe: cada vez está más aguada y tiene menos sal. Ya no la busco ni contesto la sonrisa que se le rompe en un puchero.

Una mañana levanto la farmacia y pongo la talega llena de moneditas en la bolsa del saco nuevo del tío Eligio, y corro a preguntarle a Sarita si de verdad Lupe no va a ser mi tía. Sarita sabe de qué hablo pero se queda callada. Yo sé que sabe: los espucos que se oían en la noche bajar la escalera del sótano, no eran sino los sentimientos que vencieron al tío. Ella lo sabe, por eso despidió a Lupe, y se va el hermano de mi Tona de regreso a Oaxaca: los sobrinos le mandaron dinero para que fuera a ver al médico, comprara ropa y buscara el boleto de regreso a su pueblo.

Hay algo de Cirilo Valenzuela en el tío Eligio. Su figura rumbo a Oaxaca, me inquieta; da lástima. Me gustaría seguirlo para ver qué hace. Me asomo a la terraza para verlo partir trastabillando con su tristeza.

—Es un pobre viejo —dice la tía Sarita.

Cuando voy a llorar, mi mamá me otorga el permiso para que vaya Gustavo por mí y me lleve en tranvía por el helado.

IV

María López se levanta. Va a despedirse pero me cuelgo de su vestido. ¿Cómo decirle a mi Tona que no quiero quedarme, que no me gusta ir a su casa pequeña y oscura aunque diga que soy la nieta consentida? Ser la consentida no me sirve de nada. No puedo traer a la Negra, a los pollos, el jardín, mi casa llena de luz, mis hermanos.

Mi Tona tiene glaucoma y perdió un ojo. Por eso le untan la pomada y le pegan con tela adhesiva el parche de gasa que le cambia la enfermera en las mañanas. Mi Tona se cayó y se rompió el fémur, por eso ya no deja la cama; y como le molesta la luz, el cuarto está en penumbras. Nunca suben por completo el transparente, se queda enrollado a la mitad de la ventana. Con ese cachito de luz coso y por ese trocito de ventana atisbo el parque.

A mi Tona le hace falta rezar para que Dios le dé paciencia con esa enfermedad a sus noventa años; por eso, en las noches, a las 7 en punto, su hija Marcela, la tía Chela, atraviesa la calle para conducir un rosario interminable.

—¿Qué hora es? ¿Ya van a dar las vísperas? —preguntará mi Tona.

—Ya mero, doña Tona —responderá la enfermera.

Sólo la tía Chela conoce el rosario, sabe que está hecho de misterios y cuáles corresponden a qué día de la semana y de qué tratan.

Quiero que sepa mi Tona que yo también necesito paciencia. La pido con desesperación: no entiendo. No entiendo nada ni me es fácil comprender de qué sirve repetir de memoria cincuenta y tantas *Avemarías*.

Sin embargo, hay algo secreto en la letanía del rosario que me intriga. Palabras que me muero por descifrar, porque deben ser la llave de una puerta oculta que sólo en esa casa, en Colima, esconden. Una puerta donde guardan las ilusiones y la alegría que no se ven por ninguna parte; pero a la hora de dormir, repito inútilmente una y otra vez sin que pase nada:

Torre de marfil,
Casa de oro,
Arca de la alianza,
Estrella de la mañana,
Espejo de justicia,
Trono de la sabiduría...

Antonia Gutiérrez se enoja cuando le digo que Dios está en la crema de papa que le doy en la boca, que la tome con gusto. Que Él se la manda: es buena, está sabrosa y le va a dar más fuerzas que las *Avemarías*.

Aprieto el llaverito que me dio Gustavo, y le digo a mi mamá:

—No quiero rezar las vísperas.

Logro el permiso, pero mi Tona se saldrá con la suya: faltaba más.

La tía Chela también vive en Colima y Morelia, pero contra esquina. Tiene un departamentito de renta congelada. Desde hace varios años paga 90 pesos. No trabaja. Se levanta tarde y sólo va al centro a comprar su billete de la lotería. Su esposo es un refugiado español que da clases en la universidad y escribe en un periódico. No se le entiende mucho cuando habla pero es agradable y bueno. Me dice Dulcinea; y a Ricardo, mi hermano, Don Gil de las calzas verdes. La semana pasada se sacó la lotería y repartió el dinero entre sus amigos refugiados. La tía Chela se puso furiosa.

Cierro los ojos y pienso en el departamentito del tío español: huele a brandy Fundador y a puro.

Cuando salgo a la terraza para ver pasar a Cirilo Valenzuela camino a Romita, veo la luz de la biblioteca del tío: estará escribiendo su artículo para el periódico o preparando su clase. A veces, cuando me levanto al baño a media noche, veo la luz de su biblioteca, y para no pensar en el Espuco del Nito, voy imaginando cómo serán la Dulcinea del Toboso y el Don Gil de las calzas verdes.

El tío español trae de Prendes o de Ambassadeurs o de La Ópera cazuelitas de barro con guisados de fiesta. Si sabe que estoy en Colima, llama por el Ericsson. Su teléfono es Ericsson; lo sé porque en mi casa hay dos aparatos: un Mexicana y un Ericsson, aunque diga Gustavo que los gringos dueños de Teléfonos de México compraron hace años la compañía sueca.

—Que venga la Dulcinea —manda el tío—, que la atraviese la mucama.

Dice mucama. Mucama es otra de las palabras que sólo en el país de Colima se pronuncian, como espuco y *Nyuu sabi.*

Me cruza la Lupe que sustituye a la Lupe que iba a ser mi tía. En casa de mi Tona las sirvientas se llamarán Lupe una tras otra. La otra Lupe se llamaba Sarita como mi tía Sarita que fue al mercado. Esta Lupe se llama Pastora. Pastora se ríe: soy su borreguito. Me va cantando mientras me cruza:

Siga los tres movimientos de Fab,
remoje, exprima y tienda.

Le suelto la mano a mi Lupe-Pastora y toco el timbre del tío español. Como perdices o calamares o percebes o paella o bacalao o gusanos de maguey, y escucho hablar a los tíos de sus parientes lejanos o de sus amigos a quienes no conozco.

Después de la comida, el tío me servirá una copa diminuta de Fundador para que con el dedo lo pruebe —cosa buena—, y nos vamos a la sala donde una vez apoltronado en el sillón, me cuenta historias cuyos personajes son reyes, condes, infantas y caballeros. Me hace aprender de memoria, para sorprender a mi mamá, los romances de Abenamar, Durandarte, Valdovinos, Lanzarote y don Tristán. El tío español se va quedando dormido cuando ya puedo repetir:

En París está doña Alda,
la esposa de don Roldán,
trescientas damas con ella
para la acompañar:
todas visten un vestido,
todas calzan un calzar,
todas comen a una mesa,
todas parten un buen pan,
si no era doña Alda,
que era el mayoral...

Antes de terminar, el tío se ha quedado completamente dormido.

Dice don Gil que no entiende cómo la tía Chela reza tanto si el tío se dice liberal.

Es una pareja extraña: Ella es alta; él bajito. Ella delgada; él gordito. Ella tiene el cabello negro; él, rubio y poquito. No tienen hijos. Chela masca chicle y siempre anda buscando sus gabardinas: unos guantes rotos que usa para no ensuciarse las manos en el Roma-Mérida cuando va al expendio La Fortuna por su billete de la lotería. A mí me da pena subirme con ella al camión y que la gente vea sus dedos fuera de los guantes e imagine que la tía Chela no tiene ni para unas gabardinas nuevas. No me la imagino viviendo en el pueblo del tío Eligio.

Mi mamá se despide, no hay remedio. Voy a llorar, gritaré. ¿Por qué no puedo quedarme con mis hermanos mayores, con

Don Gil? ¿Por qué? No me gusta la pobreza de Colima. Tuve suerte de que mi mamá también se acomodara con un hombre rico, como dice el tío Eligio. Voy hasta las escaleras jalando a mi mamá del vestido, haciendo difícil la separación. Bajo con ella, pero la salva mi primo que va llegando de la universidad.

V

Subo de la mano de Salvador porque guarda un caleidoscopio mágico, pero su cuarto no acumula sino libros. María López se va sin que me dé cuenta. He caído en la trampa, siempre pasa lo mismo, soy una tonta. Vuelvo a llorar.

—¿Para qué lloras? Ya se fue. Deja de estar dando lata.

Así es Salvador.

Salvador es hijo de José.

José es hermano de mi mamá.

Mi mamá me abandonó en Colima.

A Colima, tarde o temprano, llegamos los abandonados.

Salvador vive en la casa de mi mamatona desde que sus papás se divorciaron. Nito, el hijo del Juan que vive en Tamaulipas, también vivió con la Tona cuando sus papás se divorciaron. Mi mamá Antonia recoge a los hijos de sus hijos cuando los abandonan o se divorcian. Ahora es el turno de Salvador y el mío.

Yo no abandonaré a mis hijos, los voy a dejar en su casa a todos juntos o me los voy a llevar de viaje para que ellos mismos escojan sus juguetes. Aunque no estoy segura... tal vez le pida a mi Tona que recoja a mis hijos cuando me divorcie. Con ella van a estar aburridos pero bien.

Tampoco me volveré a casar. A Colima vienen las mujeres y las exmujeres de los tíos y es un problema cuando se juntan. Las tías no saben qué hacer: meten a una en la sala, y a la otra no la dejan salir del cuarto de la Tona hasta que no hay moros en la costa. Así dicen: Moros en la costa. Sarita se pone nerviosa, asustada. Nada más va y viene.

—Anda, haz algo, Chela —dice la tía Sarita cuando suena el timbre y...— ¡Válgame Dios!

Para doña Tona, mujeres y exmujeres le llevan a los nietos:

—Que no vayan a pensar que su Madre Antonia los rechaza. Son mis nietos, los quiero a todos por igual.

Me acerco a la cama y le digo al oído:

—Dijiste que yo era la consentida.

Contesta en voz alta:

—A todos los quiero por igual, menos a esta niña porque ha sabido ganarme.

Me retiro oronda a la ventana. Quiero que todos lo sepan: Soy la consentida. Nunca confesaré que no sirve de nada.

De verdad mi mamatona se preocupa por los abandonados: remendaba los calcetines de Salvador y volteaba el cuello y los puños de sus camisas cuando estaban luidos hasta que perdió la vista. Ahora ya nadie lo hace. La Singer enmudeció conforme ella se fue quedando chiquita.

Una tarde le digo que ya me cansé de coser taleguitas a mano. Me trepo a su cama y sentada a un ladito de ella, para que vea el bulto de mi figura, me pongo unos lentes redondos que encuentro en el buró, y hago cara de licenciada:

—Cómo no, doña Antonia, ahorita mismo pongo en su testamento que a su nieta consentida le deja usted la Singer.

Sabré apreciarla, estoy harta de coser a mano.

Se ríe pero nada más. Entonces, escondo los retazos de tela y detengo la labor:

—Ay. Me duele la mano. No puedo coser.

Al fin comprende:

—Que Sarita lleve a esta criatura con doña Dominga por la mañana.

Doña Dominga, la vecina, una española que corta ropa para niños, le pregunta a Sarita:

—¿Sabe coser?

Descubro que hacer taleguitas me ha dado la posibilidad de volverme aprendiz en un taller de corte y confección. Comienzo a deshilar y ensarto en la aguja hebras de colores.

Por las tardes bordaré pegada a la ventana del cuarto de mi Tona, viendo de vez en cuando a los niños del parque.

Antonia Gutiérrez está vieja pero nadie la engaña. Sabe qué pasa en Colima y fuera de ella. Le deja a Salvador, en la mesita de noche, un billete nuevecito para que cubra los gastos de camiones y de libros ahora que todo está subiendo de precio porque se devaluó el peso. Voy sacando el billete del atado que le prende la enfermera con un seguro en el camisón. Allí esconde el dinero que le dejan sus hijos cuando la visitan.

José, el papá de Salvador, estudió en la Escuela Médico Militar, y aunque no tiene mucho dinero, se casó, por fin, con Consuelo. Me llevan a Xochimilco, al Nevado de Toluca, a los balnearios de Cuautla, a San Juan Teotihuacán... en la Chencha, el Opel viejo que compraron. A veces la Chencha nos deja tirados en la carretera pero nos divertimos empujándola. De pronto José la detiene aunque no esté descompuesta y nos hace bajar.

—Bajen a ver.

—¿A ver qué?

—A ver.

Vemos los volcanes nevados, los campos de alfalfa, de flores silvestres, de girasoles, de nabo y margaritas, y los rebaños que pastan, el ganado. Vemos. Subimos a la Chencha llenos de lejanías, valles, viento, lluvia o sol. Subimos a la Chencha con sonidos que se repiten en los sueños; tañidos de campanas distantes, silbidos, trinos. De noche nos llevamos el canto de los grillos y las cigarras, o las linternas de las luciérnagas. Volvemos a la ciudad con vuelos de águila, de halcón.

José es dentista. Mi dentista, además. Y mientras me cura, me doy cuenta de que lo volvieron a lastimar en el futbol americano. Ay, mi tío no entiende que a su edad, no debería andar en eso.

Guarda en Colima, en uno de los cuartos del sótano, el material que le traen de Estados Unidos para el consultorio. Allí me escondo a jugar con el mechero y el alcohol. Derrito la gutapercha y la cera azul. Preparo en el mortero la amalgama con el mercurio. Mezclo el cemento... voy a hacerle a mi Tona una dentadura nueva, una que no le moleste tanto como la que se pone con Corega para que no se le caiga. Saco las fresas y escarbo con ellas el cemento que está firme. De grande voy a ser dentista como José.

Salvador me descubre.

—Ya verás cómo te va a ir cuando venga mi papá.

Sarita me regaña, Chela me regaña, mi Tona me regaña. Espero la visita de José, muerta de miedo.

José me llama: no eleva la voz, no se altera. Lo hecho, hecho está. Ya no tiene remedio. Me da una gota de mercurio en un frasquito vacío y me pide que tenga cuidado porque es peligroso y caro. Ahora sé que jugar con cerillos y alcohol puede provocar incendios. De todas maneras, me va a llevar a trabajar a su consultorio cuando sea pasante.

Le ayudo a guardar todo como estaba; acomodamos con cuidado las cajas en un estante y le doy un beso llena de vergüenza. Me siento mal, quiero explicarle:

—Yo... sólo...

José no lo permite:

—A veces —me dice—, hacemos cosas que no debemos. Así es, ya vas viendo. Sucede también que lo prohibido no es terrible. No te preocupes, mijita.

Cuando dice mijita, me acuerdo de mi papá que anda quién sabe dónde.

No entiendo bien, pero lo abrazo. Siento su cariño verdadero. Y lloro.

—No llores.

Lloro pero es de alegría; la primera vez que eso me pasa.

Cómo quisiera que a José, el más pobre de los López, el más callado, el más cariñoso y bueno, no le ganara cuando menos se lo espera, ese impulso incontrolable por irse a caminar, a caminar y a caminar hasta acabarse los zapatos. Cómo deseo que Consuelo sepa a dónde van entonces los pasos del tío José, los sentimientos que son más fuertes que él mismo.

Salgo llorando del cuarto de Salvador. Es un mentiroso; no hay caleidoscopios mágicos. Bajo la escalera. No sé donde ir.

Semidormida por el cansancio del llanto, sentada en el umbral de la escalera de madera, me encuentra Sarita cuando llega del mercado de la Avenida Chapultepec.

—¿Qué andas haciendo allí? Ven, vamos a jugar.

La sigo todavía tristona.

Sarita es la mayor de los 6 hijos de Antonia Gutiérrez y Serapio López a quien no conocí. No se casó. Aquellos que lo saben, le dicen "señorita Sarita".

—Dice la señorita Sarita que me acompañes al estanquillo por una veladora y combustible para el bóiler —me asegura Lupe.

La señorita Sarita lleva la casa y cuida a su mamá. Sólo ella conoce bien a las enfermeras que van a ayudarla porque cubren diferentes turnos y cambian diario. Yo he tenido que adoptar, para llamarlas, el método de Colima, después de todo resulta práctico. Les digo Mari.

—Mi Tona quiere el cómodo, Mari. Ya está la comida de mi Tona, Mari. ¿A qué hora le toca su pastilla, Mari?

Mari, Mari, Mari.

Sarita tuvo un amor. Lo sé porque todos lo cuentan. Pero le dio miedo casarse. Eso aseguran.

Toma la masa de la canasta y me regala lo que le cabe en la mano, un puñito:

—Ay, marchantita, deme usté un kilo de tortillititas. Así —y junta el pulgar con el índice.

Me pongo a trabajar y Lupe prende el comal y cuida de que mis botoncitos de masa no se quemen. Desde ese momento soy, como Lupe y Mari, ayudante de Sarita.

Aprenderé a cocinar y un sinnúmero de adivinanzas, trepada en una silla, lejos del fuego mientras escucho sin parpadear a Sarita. Me hipnotiza.

Cuida la pasta, el arroz, las verdolagas, el aceite:

—A ver, a ver, doña, déjeme pensar, déjeme pensar.

Luego me reta:

—Tráigame, usté, las cosas que le voy a pedir:

En el campo me crié,
llenita de verdes brazos,
y tú que lloras por mí,
me estás haciendo pedazos.

Es ella quien va por la cebolla y sucesivamente por el ajo, la sal, el jitomate, el chile, el epazote... Tengo memoria de chorlito. No puedo aprenderme las adivinanzas con la misma facilidad que las historias de Roldán, Lanzarote o Valdovinos.

Cuando va oscureciendo, me inquieta dónde voy a dormir. Meten el catre al cuarto de mi Tona y lo sacan a media noche porque me chupo el dedo y no la dejo descansar.

No puedo evitar los chupetes. No es algo que haga por voluntad, estoy dormida cuando chupo, pero no entienden.

Las noches que paso en Colima experimentarán entablillarme el índice, amarrarme la mano, envolvérmela en un calcetín, embarrarme chile.

—Que le pongan caca de gato —dice mi Tona.

Y lloro sin remedio porque si soy capaz de chuparme el dedo a pesar de todos sus ingenios, lo volveré a hacer, irremediablemente, a pesar mío.

A la mañana siguiente, me levanto a volver el estómago. Tengo náuseas, me da vueltas la cabeza. Mi casa, quiero mi casa.

Entro al cuarto de mi Tona todavía mareada. Me paro frente a la cama ortopédica. Sufro un impulso terrible, como el de José, como el de Gustavo: ansias en el corazón y murciélagos en el estómago. El impulso me está ganando, me está ganando. Si no bajo las escaleras corriendo a buscar a Lupe, quito las pesas que le jalan las piernas a mi Tona y se le volverán a romper todos los huesos.

Subo más tarde, creyéndome tranquila, pero no puedo evitarlo, no puedo.

Las palabras se me salen:

—No te voy a traer nunca a mis hijos, no los vas a conocer. Ya no te quiero.

Y echo la carrera a llamarle por teléfono a Don Gil:

—Si no vienen por mí, me voy a escapar. Me voy a ir a Romita con Cirilo Valenzuela.

—¿Quién es ése? —me responde.

Mi Tona suena la campanita. Entra la enfermera. Me manda llamar, pero no voy. Busco a Sarita y le digo que me siento mal.

—Me duele mucho, mucho, aquí.

—¿Aquí, dónde?

—Aquí, aquí.

—No te preocupes, se te va a quitar el dolor en Matsumoto.

Salimos. Me toma de la mano.

La calle de Colima está cada vez más llena de florerías, pero Sarita es amiga del señor Matsumoto:

—¿Qué va a lleval, señolita Salita?

Me divierto con Sarita. ¿Si no tuviera que volver a Colima?

De regreso me cuenta el cuento de *Cucurutá* otra vez. Nadie para los cuentos como ella: hace de ardilla, de conejo, de león. Representa el miedo, el susto, el encuentro.

—Cuuuu-cuuu-ruuu-táaaa —grita en plena calle de Colima como si fuéramos solas, como si no hubiera gente—. ¿Dóooondeee-esss-táaas? —vuelve a gritar.

Unas mujeres se detienen a mirarla, como si de veras hubiera perdido a su hijo. Yo quiero que grite más fuerte, que aparezca, que aparezca, por favor. Gritamos las dos:

—Cuuuu-cuuu-ruuu-táaaa.

¿Si pudiera ir Sarita a cuidarme a mi casa?

A lo lejos descubro el Packard azul. Le digo a Sarita que mi mamá me dio permiso de ir con Gustavo en el tranvía, y vuelo.

Le ruego, le suplico, le imploro a Gustavo que en lugar del helado me lleve a mi casa. No puedo más sin la Negra, sin mis pollos, sin mi cama, sin mis hermanos. No puedo más.

No lo escucho, no deseo escucharlo. Quiero que me esconda, que me proteja, que me salve. Hasta que entiendo:

—Ya-regresó-tu-mamá. Te-está-esperando.

Pero subo al coche; no vaya ser que esté tomándome el pelo.

Me hostiga:

—Tienes que ir a despedirte.

Pero no voy. No hay poder humano que me baje del Packard. No lo hay.

Al fin, allá aparece Gustavo con mi petaca. María López viene detrás de él con un vestido nuevo. Entra en el coche y tiende los brazos. No se los doy. No me acerco. Miro por la ventana. Habla. No la oigo, no me interesa. Quiero ver cómo se va a quedar lejos Colima.

—Dice tu Tona que puedes venir por la Singer cuando quieras —comenta mi mamá, intrigada por lo que debe haber de fondo.

—No la quiero —le respondo ambigua.

No la quiero, no la quiero, no la quiero. ¿No entiende?

Todavía no sé que hoy, 36 años después, iré a Colima con Mariana por lo que queda de la máquina de coser cuando la casa se está cayendo literalmente de vieja.

Parece que se va a desmoronar, sobre todo, después del terremoto del 85. Nadie la habita pero sigue puesta como si sus gentes vivieran en ella. Mariana entra al desván por la máquina y yo subo la escalera evitando pensar en los fantasmas, pero no soy más un espíritu fuerte porque oigo la voz de mi Tona llamándome desde su cuarto.

Toca la campanita. Voy a ver qué se le ofrece.

La presiento en su cama ortopédica porque la penumbra no me deja ver. En la calle, se oye una corneta desafinada.

—Allá va Cirilo —decimos—; allá va Cirilo Valenzuela con su música a otra parte.

Me acerco a la ventana para subir un poco el transparente.

Viendo jugar a los niños en el parque, le reclamo:

—¿Por qué no me dijiste que no era caca de gato sino frijoles refritos lo que me pusieron en el dedo antes de entablillarlo?

No sabe de qué hablo. Le digo que fui por la Singer, que Sarita insistió siempre que era para la nieta consentida; y le cierro un ojo.

—Mariana y su novio sacan la máquina —le aclaro.

Allá abajo, José, Salvador, Chela y Sarita, me están llamando a comer, pero mi hija me espera en la calle, ya subió el mueble a la camioneta.

Voy a la terraza y le grito a Mariana que suba a ver el cuarto de mi mamatona mientras recuerdo que, a la altura de Insurgentes, no aguanto más: le digo a Gustavo que se regrese, quiero volver a Colima, a decirle a mi Tona que sí la quiero, que cuando sea grande le voy a llevar a mis hijos no sólo para que los conozca sino también si me divorcio o me voy de viaje, pero mi mamá tiene prisa. Mis hermanos mayores también la esperan.

Por fin me acerco a mi mamá: su sonrisa me alegra el alma.

Índice

Domingo 11
Nightmare (La noche de Mara) 19
La tormenta 41
Hospital 55
Mentira piadosa 65
Una mandarina es una mandarina 83
Fantasmas 89

Un hombre cerca

se terminó de imprimir en
septiembre de 1993 en los talleres de
Multidiseño Gráfico, S.A.
La edición consta de 1,000 ejemplares
más sobrantes para reposición.